여러분의 합격을 응원하는
해커스공무원의 특별 혜택

FREE 공무원 회계학 **동영상강의**

해커스공무원(gosi.Hackers.com) 접속 후 로그인 ▶ 상단의 [무료강좌] 클릭 ▶
좌측의 [교재 무료특강] 클릭

해커스공무원 온라인 단과강의 **20% 할인쿠폰**

D3372573DA999F83

해커스공무원(gosi.Hackers.com) 접속 후 로그인 ▶ 상단의 [나의 강의실] 클릭 ▶
좌측의 [쿠폰등록] 클릭 ▶ 위 쿠폰번호 입력 후 이용

* 쿠폰 이용 기한: 2023년 12월 31일까지(등록 후 7일간 사용 가능)

 합격예측 **모의고사 응시권 + 해설강의 수강권**

2A79CCC94E68866A

해커스공무원(gosi.Hackers.com) 접속 후 로그인 ▶ 상단의 [나의 강의실] 클릭 ▶
좌측의 [쿠폰등록] 클릭 ▶ 위 쿠폰번호 입력 후 이용

* 쿠폰 이용 기한: 2023년 12월 31일까지(등록 후 7일간 사용 가능)

쿠폰 이용 관련 문의 **1588-4055**

단기 합격을 위한

해커스 커리큘럼

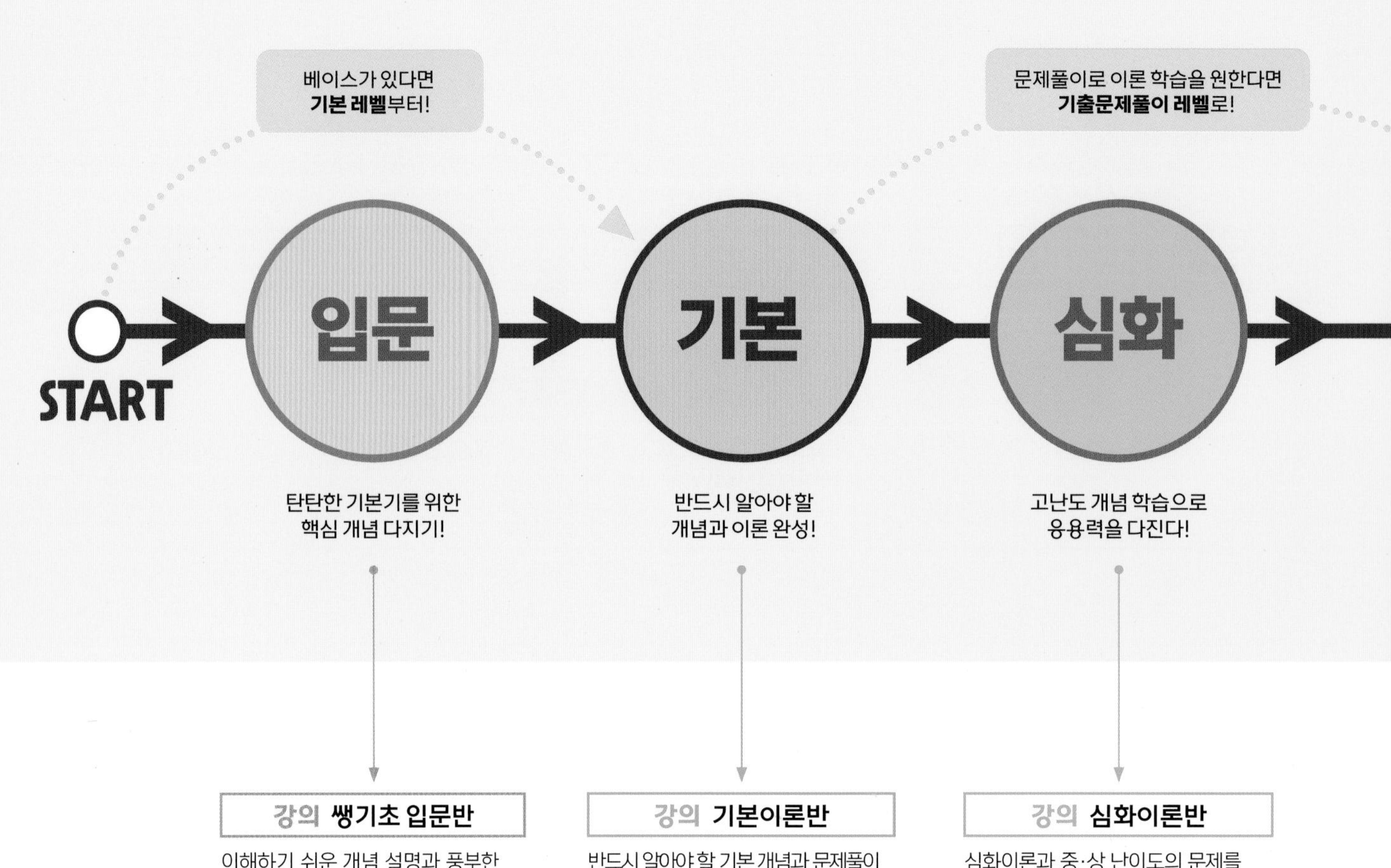

강의 쌩기초 입문반

이해하기 쉬운 개념 설명과 풍부한 연습문제 풀이로 부담 없이 기초를 다질 수 있는 강의

강의 기본이론반

반드시 알아야 할 기본 개념과 문제풀이 전략을 학습하여 핵심 개념 정리를 완성하는 강의

강의 심화이론반

심화이론과 중·상 난이도의 문제를 함께 학습하여 고득점을 위한 발판을 마련하는 강의

레벨별 교재 확인 및
수강신청은 여기서!

gosi.Hackers.com

* 커리큘럼은 과목별·선생님별로 상이할 수 있으며, 자세한 내용은 해커스공무원 사이트에서 확인하세요.

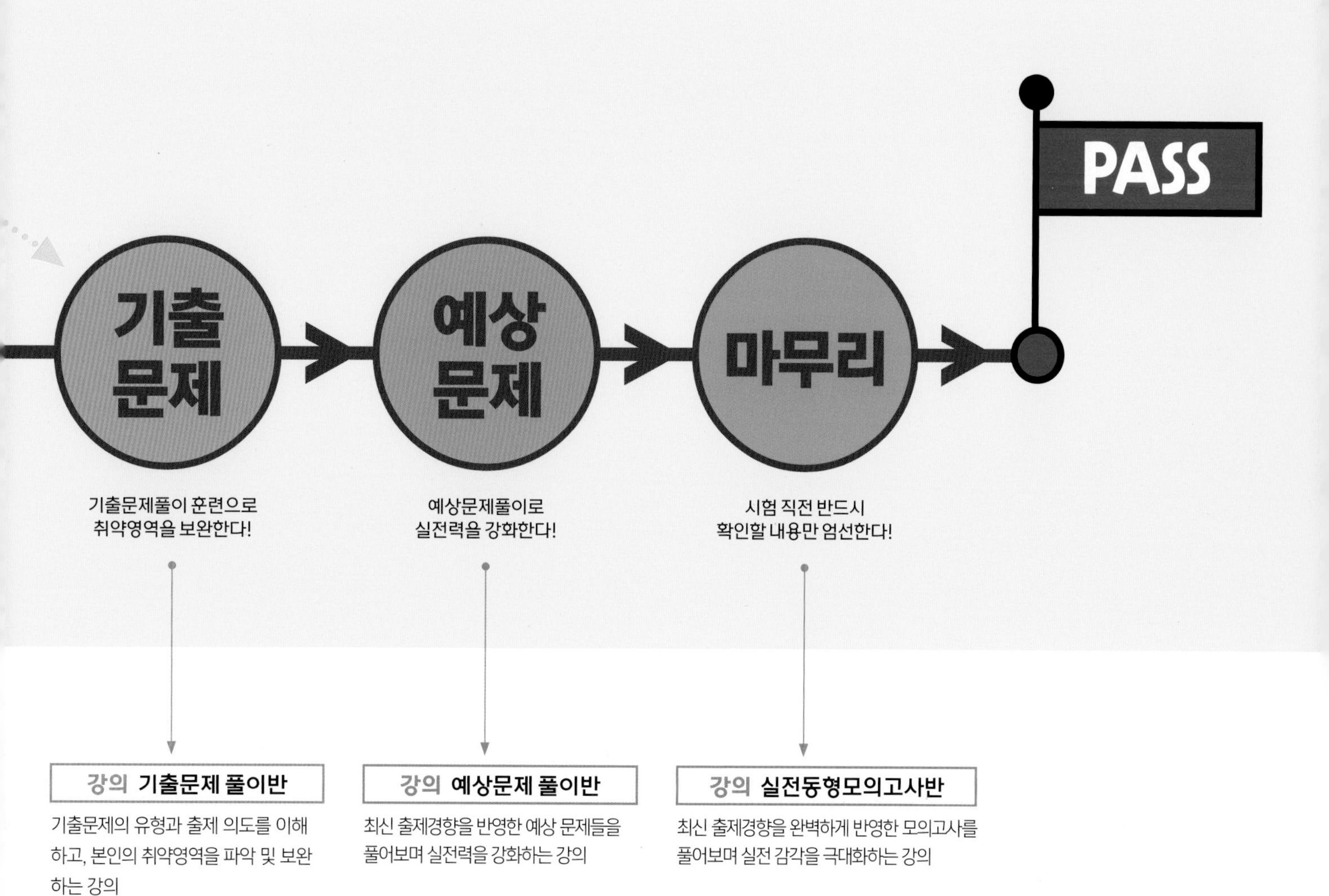

기출문제풀이 훈련으로
취약영역을 보완한다!

예상문제풀이로
실전력을 강화한다!

시험 직전 반드시
확인할 내용만 엄선한다!

강의 기출문제 풀이반

기출문제의 유형과 출제 의도를 이해하고, 본인의 취약영역을 파악 및 보완하는 강의

강의 예상문제 풀이반

최신 출제경향을 반영한 예상 문제들을 풀어보며 실전력을 강화하는 강의

강의 실전동형모의고사반

최신 출제경향을 완벽하게 반영한 모의고사를 풀어보며 실전 감각을 극대화하는 강의

강의 봉투모의고사반

시험 직전에 실제 시험과 동일한 형태의 모의고사를 풀어보며 실전력을 완성하는 강의

해커스공무원

현진환 회계학

기본서 | 2권 원가관리회계·정부회계

해커스공무원

현진환

약력

성균관대학교 경영학과 졸업
성균관대학교 경영대학원 수료

현 | 세무사
현 | 해커스공무원 회계학 강의
현 | KG에듀원 회계학 강의
현 | 합격의 법학원 회계학 강의
전 | 메가랜드 부동산세법 강의
전 | 강남이지경영아카데미 대표 세무사

저서

해커스공무원 현진환 회계학 기본서, 해커스패스
해커스공무원 현진환 회계학 단원별 기출문제집, 해커스패스
다이어트객관식 회계학 재무회계, 배움
객관식 원가관리회계, 로앤오더
다이어트 원가관리회계, 배움
다이어트 K-IFRS 재무회계, 배움

공무원 시험 합격을 위한 필수 기본서!

『2023 해커스공무원 현진환 회계학 기본서』는 수험생 여러분들의 소중한 하루하루가 낭비되지 않도록 올바른 수험생활의 길을 제시하고자 노력하였습니다.

이에 『2023 해커스공무원 현진환 회계학 기본서』는 다음과 같은 특징을 가지고 있습니다.

첫째, 회계학의 핵심을 빠르고 정확하게 학습할 수 있도록 구성하였습니다.
수험생 여러분들의 효율적인 학습을 위해 회계학의 핵심 내용만을 충실히 다룬 이론서로서, 기본 개념부터 심화 이론까지 차근차근 이해하며 따라갈 수 있도록 교재를 짜임새 있게 구성하였습니다.

둘째, 최신 출제경향과 개정 회계기준을 빠짐없이 반영하였습니다.
공무원 회계학 기출문제를 철저히 분석하여 최신 출제경향을 반영하였으며, 재출제 가능성이 높은 기출문제를 선별하여 예제로 수록하였습니다. 또한, 정확한 회계학 내용을 학습할 수 있도록 이론 전반에 최신 개정 한국채택국제회계기준(K-IFRS)을 꼼꼼히 반영하였습니다.

더불어, 공무원 시험 전문 사이트 해커스공무원(gosi.Hackers.com)에서 교재 학습 중 궁금한 점을 나누고 다양한 무료 학습 자료를 함께 이용하여 학습 효과를 극대화할 수 있습니다.

부디 『2023 해커스공무원 현진환 회계학 기본서』와 함께 공무원 회계학 시험 고득점을 달성하고 합격을 향해 한걸음 더 나아가시기를 바랍니다.

『2023 해커스공무원 현진환 회계학 기본서』가 공무원 합격을 꿈꾸는 모든 수험생 여러분에게 훌륭한 길잡이가 되기를 바랍니다.

현진환

목차

1권 재무회계

목차

2권 원가관리회계 · 정부회계

원가관리회계

정부회계

학습 플랜

효율적인 학습을 위하여 DAY별로 권장 학습 분량을 제시하였으며, 이를 바탕으로 본인의 학습 진도나 수준에 따라 조절하여 학습하기 바랍니다. 또한 학습한 날은 표 우측의 각 회독 부분에 형광펜이나 색연필 등으로 표시하며 채워나가기 바랍니다.

* 1, 2회독 때에는 60일 학습 플랜을, 3회독 때에는 30일 학습 플랜을 활용하면 좋습니다.

60일 플랜	30일 플랜	학습 플랜		1회독	2회독	3회독
DAY 1	DAY 1	재무회계	01 복식부기의 원리 1 ~ 4	DAY 1	DAY 1	DAY 1
DAY 2			01 복식부기의 원리 5 ~ 7	DAY 2	DAY 2	
DAY 3	DAY 2		01 복식부기의 원리 6 ~ 9	DAY 3	DAY 3	DAY 2
DAY 4			01 복식부기의 원리 단원별 객관식문제	DAY 4	DAY 4	
DAY 5	DAY 3		02 재무회계와 회계원칙	DAY 5	DAY 5	DAY 3
DAY 6			03 재무보고를 위한 개념체계 1 ~ 5	DAY 6	DAY 6	
DAY 7	DAY 4		03 재무보고를 위한 개념체계 6 ~ 9	DAY 7	DAY 7	DAY 4
DAY 8			03 재무보고를 위한 개념체계 단원별 객관식문제	DAY 8	DAY 8	
DAY 9	DAY 5		04 재무제표의 작성과 표시 1 ~ 2	DAY 9	DAY 9	DAY 5
DAY 10			04 재무제표의 작성과 표시 3	DAY 10	DAY 10	
DAY 11	DAY 6		04 재무제표의 작성과 표시 단원별 객관식문제	DAY 11	DAY 11	DAY 6
DAY 12			05 상품매매기업의 회계처리	DAY 12	DAY 12	
DAY 13	DAY 7		06 재고자산 1 ~ 5	DAY 13	DAY 13	DAY 7
DAY 14			06 재고자산 단원별 객관식문제	DAY 14	DAY 14	
DAY 15	DAY 8		07 유형자산 1 ~ 6	DAY 15	DAY 15	DAY 8
DAY 16			07 유형자산 단원별 객관식문제	DAY 16	DAY 16	
DAY 17	DAY 9		08 투자부동산 1 ~ 4	DAY 17	DAY 17	DAY 9
DAY 18			08 투자부동산 단원별 객관식문제	DAY 18	DAY 18	
DAY 19	DAY 10		09 무형자산 및 영업권 1 ~ 4	DAY 19	DAY 19	DAY 10
DAY 20			09 무형자산 및 영업권 단원별 객관식문제	DAY 20	DAY 20	
DAY 21	DAY 11		10 충당부채 · 우발부채 · 우발자산 1 ~ 7	DAY 21	DAY 21	DAY 11
DAY 22			10 충당부채 · 우발부채 · 우발자산 단원별 객관식문제	DAY 22	DAY 22	
DAY 23	DAY 12		11 자본 1 ~ 6	DAY 23	DAY 23	DAY 12
DAY 24			11 자본 단원별 객관식문제	DAY 24	DAY 24	
DAY 25	DAY 13		12 금융자산(Ⅰ)_현금 및 매출채권	DAY 25	DAY 25	DAY 13
DAY 26			13 금융부채	DAY 26	DAY 26	
DAY 27	DAY 14		14 금융자산(Ⅱ)_유가증권	DAY 27	DAY 27	DAY 14
DAY 28			15 복합금융상품	DAY 28	DAY 28	
DAY 29	DAY 15		16 수익	DAY 29	DAY 29	DAY 15
DAY 30			17 종업원급여	DAY 30	DAY 30	

- 1회독 때에는 처음부터 완벽하게 학습하려고 욕심을 내는 것보다는 전체적인 내용을 가볍게 익힌다는 생각으로 교재를 읽는 것이 좋습니다.
- 2회독 때에는 1회독 때 확실히 학습하지 못한 부분을 정독하면서 꼼꼼히 교재의 내용을 익힙니다.
- 3회독 때에는 기출 또는 예상문제를 함께 풀어보며 본인의 취약점을 찾아 보완하면 좋습니다.

60일 플랜	30일 플랜	학습 플랜		1회독	2회독	3회독
DAY 31	DAY 16	재무회계	18 주식기준보상	DAY 31	DAY 31	DAY 16
DAY 32			19 주당이익	DAY 32	DAY 32	
DAY 33	DAY 17		20 법인세회계	DAY 33	DAY 33	DAY 17
DAY 34			21 회계변경 및 오류 수정	DAY 34	DAY 34	
DAY 35	DAY 18		22 현금흐름표 1 ~ 3	DAY 35	DAY 35	DAY 18
DAY 36			22 현금흐름표 단원별 객관식문제	DAY 36	DAY 36	
DAY 37	DAY 19		23 재무회계의 기타사항	DAY 37	DAY 37	DAY 19
DAY 38			24 지분법회계	DAY 38	DAY 38	
DAY 39	DAY 20		25 환율변동효과	DAY 39	DAY 39	DAY 20
DAY 40			26 리스	DAY 40	DAY 40	
DAY 41	DAY 21		재무회계 복습	DAY 41	DAY 41	DAY 21
DAY 42		원가관리 회계	01 원가의 분류와 제조원가의 흐름 1 ~ 3	DAY 42	DAY 42	
DAY 43	DAY 22		01 원가의 분류와 제조원가의 흐름 단원별 객관식문제	DAY 43	DAY 43	DAY 22
DAY 44			02 개별원가계산 1 ~ 3	DAY 44	DAY 44	
DAY 45	DAY 23		02 개별원가계산 단원별 객관식문제	DAY 45	DAY 45	DAY 23
DAY 46			03 활동기준원가계산	DAY 46	DAY 46	
DAY 47	DAY 24		04 종합원가계산 1 ~ 3	DAY 47	DAY 47	DAY 24
DAY 48			04 종합원가계산 단원별 객관식문제	DAY 48	DAY 48	
DAY 49	DAY 25		05 결합원가계산 ~ 06 표준원가계산	DAY 49	DAY 49	DAY 25
DAY 50			07 변동원가계산 ~ 08 원가의 형태와 추정	DAY 50	DAY 50	
DAY 51	DAY 26		09 원가 · 조업도 · 이익분석(CVP분석) ~ 10 관련원가 의사결정	DAY 51	DAY 51	DAY 26
DAY 52			11 투자중심점의 성과평가 ~ 12 최신관리회계	DAY 52	DAY 52	
DAY 53	DAY 27	정부회계	01 정부회계의 기초 ~ 02 국가회계기준에 관한 규칙 제2장	DAY 53	DAY 53	DAY 27
DAY 54			02 국가회계기준에 관한 규칙 제3장 ~ 제4장	DAY 54	DAY 54	
DAY 55	DAY 28		02 국가회계기준에 관한 규칙 제5장 ~ 서식	DAY 55	DAY 55	DAY 28
DAY 56			02 국가회계기준에 관한 규칙 단원별 객관식문제	DAY 56	DAY 56	
DAY 57	DAY 29		03 지방자치단체 회계기준에 관한 규칙 제1장 ~ 제5장	DAY 57	DAY 57	DAY 29
DAY 58			03 지방자치단체 회계기준에 관한 규칙 제6장 ~ 서식	DAY 58	DAY 58	
DAY 59	DAY 30	원가관리회계 · 정부회계 복습		DAY 59	DAY 59	
DAY 60		전체 복습		DAY 60	DAY 60	DAY 30

2023 해커스공무원 현진환 회계학 기본서

원가관리회계

01 원가의 분류와 제조원가의 흐름

1 원가관리회계의 개념

회계는 다양한 영역으로 구성되어 있다. 우리가 흔히 말하는 회계는 대부분의 경우 재무회계를 의미하는데 원가회계 및 관리회계는 재무회계와 다루는 영역이 다르다. 그러므로 원가관리회계에 접근할 때는 재무회계를 학습할 때와는 다른 시각이 필요하다.

1. 회계의 분류

(1) 관리회계의 특징

① 관리회계는 경영자 등 내부정보이용자들의 적절한 판단과 의사결정에 유용한 정보를 제공하는 것을 목적으로 한다. 반면, 재무회계는 주로 외부정보이용자들을 위한 정보를 제공하는 것을 목적으로 한다.

② 관리회계는 기업 외부로 나가는 정보를 만드는 것을 목적으로 하지 않으므로 기업회계기준의 영향을 받지 않는다. 따라서 관리회계는 제공하는 정보의 형태와 내용 등에 제약이 없다.

(2) 원가회계의 특징

① 원가회계는 제조기업이 생산하는 제품의 원가를 계산하는 데 일차적인 목적을 두는 회계이다.

② 원가회계는 제품의 원가뿐만 아니라 서비스기업이 제공하는 서비스의 원가, 기업의 각 부문별 원가, 기업이 실행하는 프로세스의 원가 등 다양한 범주와 형태의 원가를 계산한다. 또한 기업 경영과 관리에 필요한 원가정보를 제공하는 것도 원가회계의 목표이다.

③ 제조기업이 생산하는 제품의 원가를 계산해서 재무제표의 재고자산 및 매출원가를 구한다면 이는 재무회계를 위한 정보를 제공하는 것이다. 반면 기업 경영과 관리에 필요한 원가 정보를 구한다면 이는 관리회계를 위한 정보를 제공하는 것이다. 따라서 원가회계는 재무회계뿐만 아니라 관리회계를 위한 회계정보를 생산하는 데도 그 목적이 있다.

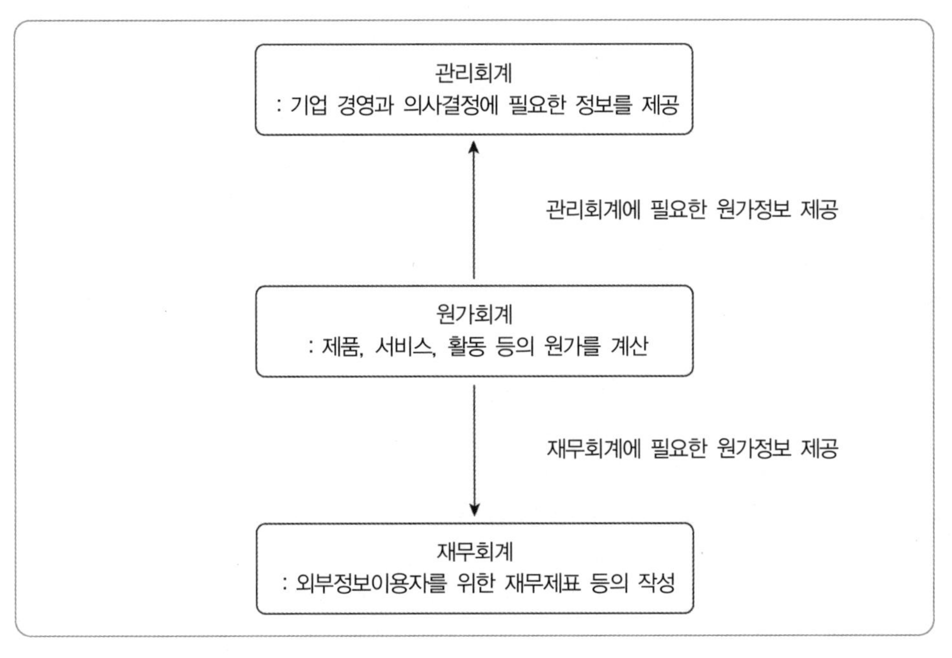

원가회계와 관리회계의 역할

2. 원가의 의의

(1) 특정 목적을 달성하기 위해 정상적인 상태에서 소비된 경제적자원을 화폐단위로 측정한 것으로 자산의 취득 또는 비용으로 지출(소비)된 현금 등의 자원이다.

(2) 원가는 제품의 생산, 서비스의 제공 등 특정 목적을 위해서 지출되어야 하며, 정상적으로 소비되어야 한다. 화재로 인한 손실 등 비정상적으로 소비된 부분은 원가가 아닌 손실이다.

(3) 경제적자원의 소비가 일어나면 이 금액이 비용으로 인식될 수도 있고 다른 자산으로 인식될 수도 있는데 원가는 이 두 가지를 모두 포함하는 개념이다.

2 원가의 분류

원가의 분류와 관련하여 가장 큰 특징은 원가는 어떤 목적을 위해 집계하느냐에 따라 그 분류가 달라진다는 점이다. 이를 '상이한 목적에는 상이한 원가'라고 표현한다.

1. 추적가능성에 따른 분류

(1) 직접원가란 특정 원가대상에서 개별적으로 소비한 원가로서 특정 원가대상에 직접 추적할 수 있는 원가를 말한다.

(2) 원가대상은 제품 또는 서비스, 프로젝트, 활동, 부문이나 제조공정 등과 같이 원가를 집계하는 대상으로, 원가계산대상 또는 원가집계대상이라고도 표현한다.

(3) 직접원가는 원가대상에 직접 추적할 수 있으므로 원가계산에 정확하게 반영할 수 있다. 따라서 직접원가로 분류되는 원가가 많아질수록 원가계산의 정확성은 높아진다.

(4) 간접원가란 여러 원가대상에서 소비한 원가로서 특정 원가대상에 추적할 수 없는 원가, 추적할 수 있더라도 추적하는 것이 비경제적이어서 추적하지 않는 원가를 말한다.

(5) 간접원가는 특정 원가대상에 직접 추적할 수 없으므로 간접원가를 발생시키거나 간접원가의 변동을 유발하는 요인을 배부기준으로 선정하여 특정 원가대상에 배분한다.

(6) 간접원가는 인과관계가 높은 배부기준을 사용할수록 원가계산의 정확성이 높아진다.

표로 확인하기 | 직접원가와 간접원가

직접원가	특정 원가대상에 직접 추적할 수 있는 원가	
	직접재료원가	특정제품에 직접 추적할 수 있는 재료원가(direct material cost)
	직접노무원가	특정제품에 직접 추적할 수 있는 노무원가(direct labor cost)
간접원가	특정 원가대상에 직접 추적할 수 없는 원가, 공통원가	
	제조간접원가	제품의 생산에 투입되는 원가 중 직접재료원가, 직접노무원가 이외의 모든 제조원가(manufacturing overhwad cost)
	원가대상 (cost object)	원가집계를 요하는 목적물(제품, 활동, 부문, 공정, 프로젝트 등)

2. 원가의 기능에 따른 분류

(1) 제조원가는 생산시설에서 발생한 제조활동과 관련된 원가를 말한다. 제조원가는 직접재료원가, 직접노무원가, 제조간접원가로 구분하는데 이를 제조원가 3요소라고 한다(제조원가 3요소는 상황에 따라 재료원가, 노무원가, 제조경비로 분류하기도 함).

(2) **직접재료원가**(DM, Direct Material Cost)

① 제품을 생산하기 위해서는 여러 종류의 원재료를 투입하여야 하는데 이 중에서 자동차에 투입되는 철판과 엔진, 가구에 투입되는 목재 등과 같이 제품의 주요 부분을 차지하면서 특정 제품에 직접 추적할 수 있는 원재료를 직접재료라고 한다. 따라서 자동차에 투입된 철판과 엔진의 원가, 가구에 투입된 목재의 원가도 특정 자동차나 특정 가구에 직접 추적할 수 있는데 이러한 재료원가를 직접재료원가라고 부른다.

② 반면에 자동차의 용접에 사용되는 용접재료, 가구에 투입되는 접착제 등과 같이 제조과정에 투입된 원재료 중에서 제품생산에 필요하기는 하나, 어떤 제품을 생산하는데 투입되었는지 추적이 불가능한 것, 추적이 가능하더라도 비용이 많이 발생되어 추적하는 것이 비경제적인 것들이 있는데 이러한 원재료를 간접재료라고 한다. 제품생산에 투입된 간접재료의 원가를 간접재료원가라고 하며 이는 제조간접원가에 포함된다.

(3) **직접노무원가(DL, Direct Labor Cost)**

① 제품을 생산하는 과정에서 투입된 노동력에 대한 대가가 노무원가다. 이 중에서 제품을 생산하는 작업자에게 지급되는 노무원가와 같이 특정 제품에 직접 추적할 수 있는 노무원가를 직접노무원가라고 한다.

② 반면에 생산감독자, 수선부직원, 재료취급자 등에게 지급되는 노무원가 등과 같이 제품을 생산하는 데 필요하기는 하지만, 어떤 제품을 생산하는 데 투입되었는지 추적이 불가능한 것, 추적이 가능하더라도 비용이 많이 발생되어 추적하는 것이 비경제적인 것들이 있는데 이를 간접노무원가라고 하며 이는 제조간접원가에 포함된다.

(4) **제조간접원가(OH, Manufacturing Overhead Cost)**

① 제품의 생산에 투입되는 원가 중 직접재료원가, 직접노무원가 이외의 모든 제조원가를 제조간접원가라고 한다. 제조간접원가는 앞에서 설명한 간접재료원가, 간접노무원가와 공장토지와 건물의 재산세, 생산시설의 보험료, 수선유지비, 동력비, 감가상각비 등 제조활동에 소요되는 원가가 포함되는데, 제조간접원가 중 간접재료원가, 간접노무원가 이외의 원가를 제조경비라고 부른다.

② 주의할 점은 제조간접원가는 제조원가의 일부이므로 제조활동과 관련되어 생산시설에서 발생하는 원가가 아니라면 제조간접원가에도 포함될 수 없다는 점이다. 예를 들어 생산시설의 보험료, 수선유지비 등은 제조간접원가에 해당하지만, 본사 건물의 보험료, 수선유지비 등은 제조간접원가에 해당하지 않는다.

③ 제조원가 중에서 직접재료원가와 직접노무원가의 합을 기초원가 또는 기본원가라고 하며, 직접노무원가와 제조간접원가의 합을 가공원가 또는 전환원가라고 한다. 이는 제품생산에 있어서 직접재료와 직접노무가 가장 기본적인 요소이며 직접노무원가와 제조간접원가는 원재료를 최종제품으로 가공 또는 전환하는 데 소요되는 원가이기 때문이다.

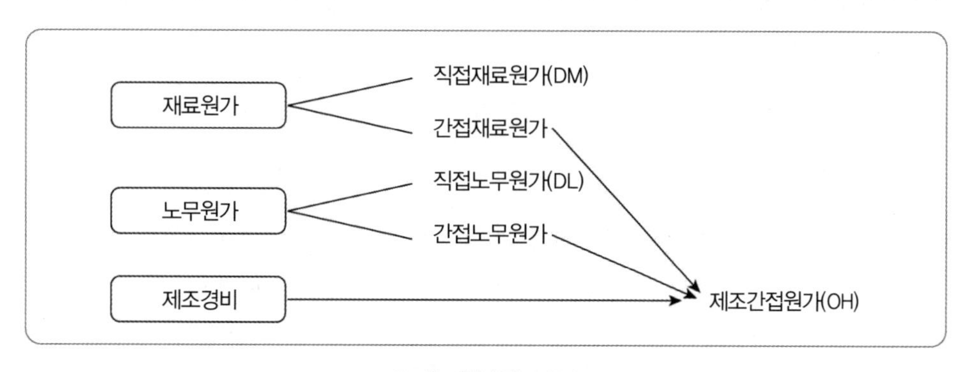

제조원가의 3요소

(5) **비제조원가**

기업의 제조활동과 관계없이 발생되는 원가를 말하며, 광고비, 선적비, 판매수수료, 판매직원의 급여 등과 같은 판매비와 경영자의 급여, 일반사무비용, 사무용 시설의 보험료와 감가상각비 등과 같은 관리비가 비제조원가에 해당한다.

표로 확인하기 | 제조원가와 비제조원가

원가의 기능에 따른 분류	내용
제조원가	생산시설에서 발생한 제조활동과 관련한 원가
비제조원가	• 생산시설 외에서 발생한 제조활동과 관련되지 않은 원가 • 판매 및 관리활동과 관련하여 발생하는 원가(판매관리비)

3. 자산화 여부

(1) 제품원가란 제품원가계산에 반영해야 하는 원가로서 재고자산에 할당되는 모든 원가를 말하며, 재고자산의 원가를 구성하므로 재고가능원가라고도 한다. 제품원가는 재고자산으로 계상된 후 제품이 판매될 때 매출원가로 대체되어 비용처리된다.

(2) 기업회계기준에서는 직접재료원가, 직접노무원가, 제조간접원가를 제품원가에 포함한다고 규정한다. 따라서 모든 제조원가가 제품원가에 포함되는데 이를 전부원가계산이라 한다. 전부원가계산하에서는 '제조원가 = 제품원가'의 관계가 성립하지만 다른 원가계산방법을 사용하는 경우 제조원가와 제품원가가 일치하지 않을 수 있다.

표로 확인하기 | 제조원가와 제품원가

<table>
<tr><th>구분</th><th>전부원가계산</th><th>변동원가계산</th><th>초변동원가계산</th></tr>
<tr><td>직접재료원가</td><td rowspan="4">제품원가</td><td rowspan="3">제품원가</td><td>제품원가</td></tr>
<tr><td>직접노무원가</td><td rowspan="3">기간비용</td></tr>
<tr><td>변동제조간접원가</td></tr>
<tr><td>고정제조간접원가</td><td>기간비용</td></tr>
</table>

(3) 기간비용은 제품생산과 관련없이 발생되기 때문에 항상 발생된 기간에 비용으로 처리되는 원가를 말하며, 재고자산의 원가를 구성하지 못하므로 재고불능원가라고도 한다.

(4) 기간비용은 발생된 기간에만 수익의 창출에 기여하고 차기 이후에는 더 이상 수익의 창출에 기여하지 못하기 때문에 발생된 기간에 비용으로 처리한다. 매출원가를 제외하고 손익계산서에 기록되는 비용이 기간비용이다.

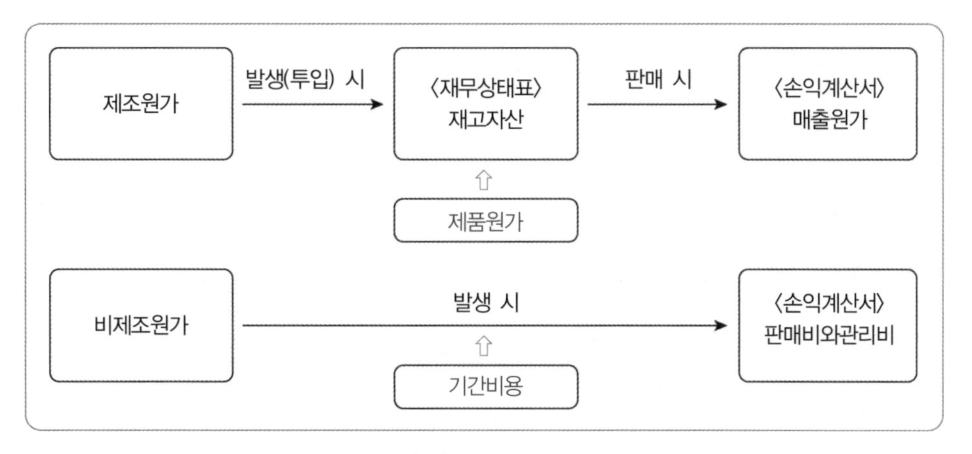

제품원가와 기간비용(전부원가계산을 가정)

4. 원가행태에 따른 분류

(1) 일정기간 관련범위 내에서 조업도의 변동에 따라 총원가가 일정한 모습으로 변동할 때 그 모습을 원가행태라고 하며, 원가행태에 따라 원가를 변동원가와 고정원가로 분류할 수 있다.

(2) 원가행태에 따라 원가를 분류하기 위해서는 먼저 일정한 기간이 전제되어야 하는데 그 이유는 기간이 장기가 되면 임차료와 같은 고정원가도 임차계약 해지 등으로 변동원가가 될 수 있기 때문이다. 기간을 장기로 늘리게 되면 거의 모든 원가가 변동원가가 된다.

(3) 일정한 원가행태가 성립하는 범위를 관련범위라 하는데 관련범위를 벗어나면 분석한 원가행태가 성립하지 않게 된다. 예를 들어, 임차료, 감가상각비와 같은 고정원가도 일정한 생산량 범위를 벗어나면 추가적인 임차나 설비투자로 인해 증가하게 될 것이다. 따라서 일정한 원가행태는 관련범위 내에서만 성립하게 된다.

(4) 변동원가란 관련범위 내에서 조업도의 변동에 정비례하여 총원가가 변동하는 원가를 말한다. 예를 들어 자동차의 생산을 두 배로 늘리면 투입되는 엔진이나 타이어의 원가가 두 배로 증가하는 형태의 원가이다. 대부분의 직접재료원가, 직접노무원가와 제조간접원가 중 일부(변동제조간접원가)가 여기에 해당한다.

(5) 고정원가란 관련범위 내에서 조업도의 변동에 관계없이 총원가가 일정한 원가를 말한다. 예를 들어 임차료의 경우 기업의 생산량 및 판매량에 관계없이 매월 일정한 금액을 지불해야 하는데 이렇게 총원가가 조업도의 변동에 아무런 영향을 받지 않는 원가를 고정원가라고 한다. 제조간접원가 중 일부(고정제조간접원가)가 여기에 해당한다.

(6) 준변동원가란 조업도와 관계없이 발생하는 고정원가와 조업도의 변동에 비례하여 발생하는 변동원가로 구성된 원가를 말한다. 준변동원가의 예로 전화요금을 들 수 있는데 전화요금은 전화를 사용하지 않아도 발생하는 기본요금(고정원가)과 전화사용량에 비례하는 요금(변동원가)으로 구성된다.

(7) 준고정원가(계단원가)란 일정한 조업도 범위 내에서는 총원가가 일정하지만, 조업도가 그 범위를 벗어나면 총원가가 일정액만큼 증가 또는 감소하는 원가를 말한다.

표로 확인하기 | 원가행태에 따른 분류

구분	내용
변동원가	• 조업도가 변동함에 따라 총원가가 비례적으로 변동하는 원가 • 변동원가의 기능별 분류 [변동제조원가 / 변동판매관리비
고정원가	• 조업도의 변동에 관계없이 총원가가 일정한 원가 • 고정원가의 기능별 분류 [고정제조원가 = 고정제조간접원가 / 고정판매관리비
준변동원가 (혼합원가)	조업도와 관계없이 발생하는 고정원가와 조업도의 변동에 비례하여 발생하는 변동원가로 구성된 원가
준고정원가 (계단원가)	일정한 조업도 범위 내에서는 총원가가 일정하지만, 조업도가 그 범위를 벗어나면 총원가가 일정액만큼 증가 또는 감소하는 원가(생산요소의 불가분성 때문)

5. 의사결정과의 관련성에 따른 분류

(1) 관련원가란 특정 의사결정과 관련이 있는 원가로, 고려되는 대안들 간에 차이가 나는 미래현금지출원가를 말한다. 비관련원가란 특정 의사결정과 관련이 없는 원가로, 이미 발생된 과거의 원가(역사적원가, 기발생원가, 매몰원가)와 대안들 간에 차이가 없는 미래현금지출원가가 비관련원가에 해당된다.

(2) 매몰원가란 과거 의사결정의 결과로 이미 발생된 원가(역사적원가, 기발생원가)로, 현재나 미래의 의사결정에는 영향을 미치지 못하는 원가를 말한다. 매몰원가는 의사결정시점 이전에 발생이 확정된 원가로 어떤 대안을 선택하든지 변경시킬 수 없으므로 그 금액이 아무리 크더라도 비관련원가가 된다.

(3) 기회비용은 특정 대안을 선택하기 위하여 포기해야 하는 효익(순현금유입액) 중 가장 큰 금액이다.

(4) 기회비용은 회계장부에 기록되는 비용은 아니지만 의사결정을 할 때는 반드시 고려되어야 한다.

표로 확인하기 | 관련원가와 비관련원가

구분	내용
관련원가	대안 간 차이가 있는 미래원가로 의사결정과 관련되는 원가 예 차액원가, 기회비용, 회피가능원가
비관련원가	대안 간 차이가 없는 원가로 의사결정과 무관한 원가 예 기발생원가(매몰원가), 회피불능원가

6. 통제가능성에 따른 분류

(1) 통제가능성이란 특정 관리자가 특정원가를 관리할 수 있는 권한을 가지고 있는지 여부를 말하며, 통제가능하다는 것은 특정 관리자가 원가발생액을 통제할 수 있는 권한을 가지고 있다는 것을 의미한다.

(2) 통제가능원가란 특정 관리자가 원가의 발생에 영향을 미칠 수 있는 원가를 말한다. 특정 관리자는 통제가능원가의 발생에 대하여 책임이 있으므로 특정 관리자에 대하여 성과평가를 할 때 통제가능원가를 반영하여야 한다.

(3) 통제불능원가란 특정 관리자가 원가의 발생에 영향을 미칠 수 없는 원가를 말한다. 통제불능원가는 특정 관리자가 통제할 수 없으므로 특정 관리자에 대하여 성과평가를 할 때 배제되어야 한다.

표로 확인하기 | 통제가능원가와 통제불능원가

구분	내용
통제가능원가	• 경영자가 그 발생을 통제할 수 있는 원가 • 성과평가를 할 때 통제가능원가를 반영하여야 함
통제불능원가	• 경영자가 그 발생을 통제할 수 없는 원가 • 성과평가를 할 때 배제되어야 함

3 원가의 흐름과 배분

외부에서 구입한 상품을 제조활동을 거치지 않고 그대로 외부에 판매하여 이익을 창출하는 상기업과는 달리 제조기업은 원재료, 노동력, 생산설비 및 기타 용역 등 생산요소를 외부에서 구입한 후, 이를 투입하여 제품을 생산하고 생산의 결과물인 제품을 판매하여 이익을 창출한다.

1. 제조원가

제조원가의 3요소는 직접재료원가(DM), 직접노무원가(DL), 제조간접원가(OH)이다.

(1) 직접재료원가(DM)

① 제품을 생산하기 위하여 투입된 원재료의 원가를 재료원가라고 하며, 재료원가는 특정 제품에 직접 추적할 수 있는가에 따라 직접재료원가와 간접재료원가로 나뉜다.

② 재료원가는 재무상태표 계정인 원재료 계정에서 발생한다. 원재료를 구입한 경우에는 매입액을 원재료 계정 차변에 기입하고, 원재료를 사용한 경우에는 원재료 계정의 대변에 원재료사용액(재료원가)을 기입함과 동시에 직접재료원가는 재공품계정으로, 간접재료원가는 제조간접원가계정으로 대체한다.

비제조원가

제품제조활동과 무관하며, 판매 및 관리활동과 관련하여 발생하는 원가(판매관리비)이다.

선생님 TIP

회계는 발생주의에 의해 장부를 기록하므로 원재료를 현금을 지급하고 매입했는지 외상으로 매입했는지는 중요하지 않다.

사례 — 예제

㈜해커의 기초원재료재고액은 ₩20,000이며, 당기 중 원재료매입액은 ₩80,000이다(이 중 ₩50,000은 외상매입). 당기 중 원재료사용액은 ₩70,000이며, 이 중 ₩20,000은 간접재료원가였다.

해설

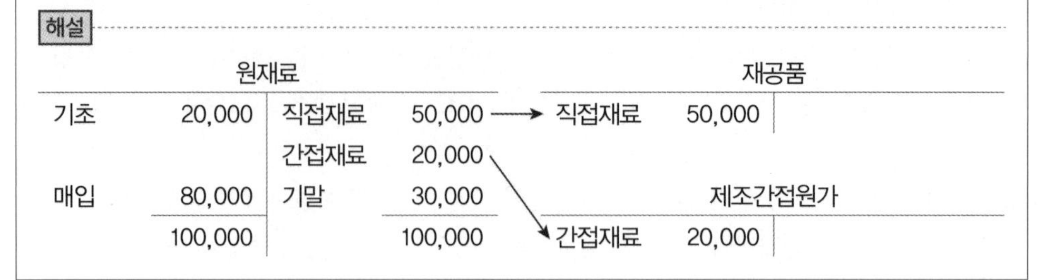

(2) **직접노무원가(DL)**

① 제품을 생산하기 위하여 투입된 노동력의 원가를 노무원가라고 하며, 노무원가는 특정 제품에 직접 추적할 수 있는지에 따라 직접노무원가와 간접노무원가로 나뉜다.

② 기중에 노무원가가 발생되면 노무원가계정의 차변에 기입하고, 동 금액을 노무원가 대변에 기입함과 동시에 직접노무원가는 재공품계정으로, 간접노무원가는 제조간접원가계정으로 대체한다.

사례 — 예제

㈜해커는 당기 중 노무원가를 ₩80,000 지급하였으며, 당기 말 현재 미지급노무원가가 ₩20,000이 있다(당기 초 미지급노무원가는 없었음). 한편, 당기에 발생된 노무원가 중 특정 제품에 직접 추적할 수 있는 노무원가는 ₩70,000이다.

해설

직접노무원가 발생액: ₩80,000(현금지급액) + ₩20,000(미지급액) = ₩100,000

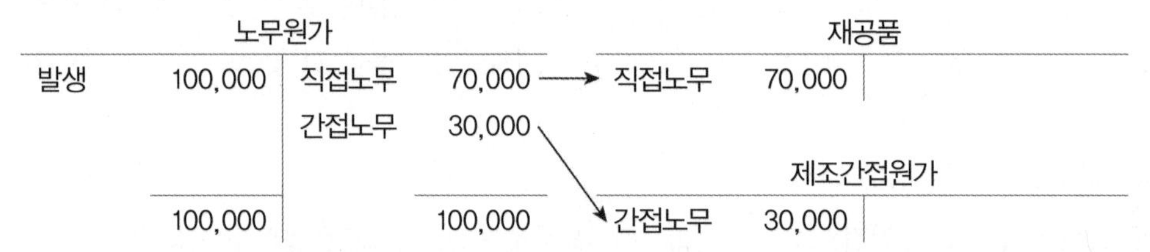

선생님 TIP

회계는 발생주의에 의해 장부를 기록하므로 노무원가를 현금으로 지급했는지의 여부는 중요하지 않다. 동 사례에서는 현금지급노무원가 ₩80,000과 발생하였으나 지급하지 않은 노무원가 ₩20,000의 합인 ₩100,000이 당기 발생 노무원가에 해당한다.

(3) 제조간접원가(OH)

① 직접재료원가, 직접노무원가 이외에 제품제조에 소비된 원가를 제조간접원가라고 하며, 제조간접원가에는 간접재료원가, 간접노무원가 및 제조경비가 포함된다. 제조간접원가는 제조과정에서 발생하는 원가이므로 판매비 및 관리비와 반드시 구분되어야 한다.

② 제조간접원가가 발생하면 기중이나 기말에 각 해당 계정에 기록하는데 제조간접원가는 다양한 항목들로 구성되어 있으므로 기말에 제조간접원가계정에 일괄집계한 후 재공품 계정에 배부한다.

사례 — 예제

㈜해커의 간접재료원가 ₩20,000과 간접노무원가는 ₩30,000이다. ㈜해커의 당기 감가상각비는 ₩100,000인데, 이 중 공장에서 발생한 부분이 ₩40,000이고 나머지는 본사에서 발생한 원가이다. 또한 당기 중 공장에서 발생한 수선유지비가 ₩10,000이고, 판매부서에서 발생한 수선유지비가 ₩30,000이다.

해설

제조간접원가

차변	금액	대변	금액
간접재료	20,000	배부 (재공품)	100,000 →
간접노무	30,000		
감가상각	40,000		
수선유지	10,000		
	100,000		100,000

재공품

차변	금액	대변	금액
제조간접원가	100,000		

선생님 TIP

해당 원가가 공장에서 발생하였다면 제조간접원가, 공장 외에서 발생하였다면 판매관리비에 해당된다.

(4) 기본원가와 가공원가

① 기본원가: 직접재료원가와 직접노무원가의 합이다.

> DM + DL(직접원가, 기초원가: prime costs)

② 가공원가: 직접노무원가와 제조간접원가의 합이다.

> DL + OH(전환원가: conversion costs)

2. 재공품계정

(1) 재공품

① 재공품계정은 제조원가의 회계처리에 있어 가장 중요한 계정으로 재공품계정의 차변에는 기초재공품원가와 당기에 발생된 직접재료원가, 직접노무원가, 제조간접원가가 기입된다. 이때, 당기에 발생된 직접재료원가, 직접노무원가, 제조간접원가의 합을 당기총제조원가라고 한다.

② 당기에 제품이 완성되면 당기에 완성된 제품의 원가가 재공품계정 대변에서 제품계정 차변으로 대체되는데, 이를 당기제품제조원가라고 한다.

(2) T-계정

① T-계정을 이용해 나타내면 아래와 같다.

재공품			
기초재공품	×××	당기제품제조원가	×××
당기총제조원가			
직접재료원가	×××		
직접노무원가	×××		
제조간접원가	×××	기말재공품	×××

㉠ **당기총제조원가**: 당기 제조과정에 투입된 원가로 재공품계정 차변에 가산한다(= 당기투입원가 = 당기발생원가).

㉡ **당기제품제조원가**: 투입된 원가 중 당기에 완성시켜 제품으로 대체한 원가이다.

② 재공품계정 차변에는 당기에 투입(발생)된 원가를 기록하고(당기총제조원가), 재공품계정 대변에는 그 중 완성된 원가(당기제품제조원가)와 미완성된 원가(기말재공품원가)를 구분하여 기록한다.

사례 — 예제

㈜해커에서 당기에 투입한 직접재료원가는 ₩50,000, 직접노무원가는 ₩70,000, 제조간접원가는 ₩100,000이다. 또한 ㈜한국의 기초재공품은 ₩20,000, 기말재공품은 ₩30,000이다.

해설

재공품			
기초	20,000	당기제품 제조원가	210,000
직접재료	50,000		
직접노무	70,000		
제조간접	100,000	기말	30,000
	240,000		240,000

→

제품			
당기제품 제조원가	210,000		

3. 제품계정

(1) 제품계정은 완성된 제품의 원가를 관리하는 계정이다. 제품이 완성되면 당기제품제조원가를 재공품계정의 대변에서 제품계정의 차변으로 대체하고, 제품이 판매되면 매출원가를 제품계정의 대변에서 매출원가계정의 차변으로 대체한다.

(2) 제품계정의 차변합계, 즉 기초제품원가와 당기제품제조원가의 합을 판매가능재고라 부른다.

사례 —

㈜해커에서 당기 중 완성한 제품의 원가는 ₩210,000이고, ㈜해커의 기초 및 기말제품재고액은 각각 ₩40,000, ₩20,000이다.

해설

제품					매출원가	
기초	40,000	매출원가	230,000	→	230,000	
당기제품제조원가	210,000	기말	20,000			
	250,000		250,000			

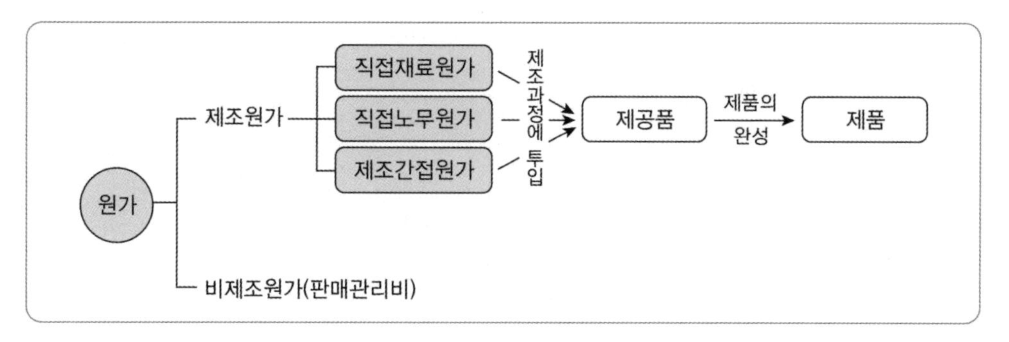

원가의 기능별 분류 및 흐름

4. 제조원가의 흐름

(1) 제조원가란 제품을 생산하는 제조활동에서 발생되는 모든 원가를 의미하며, 직접재료원가, 직접노무원가, 제조간접원가로 구성된다.

(2) 제조활동에 투입된 제조원가는 재공품계정에 집계되며, 제품이 완성되면 완성된 제품의 제조원가(당기제품제조원가)는 제품계정으로 대체된다. 그리고 제품이 판매되면 판매된 제품의 원가(매출원가)는 다시 매출원가계정으로 대체된다. 이를 T-계정을 이용해 나타내면 아래와 같다.

(3) 당기총제조원가 = 직접재료원가 + 직접노무원가 + 제조간접원가

(4) 당기제품제조원가 = 기초재공품재고액 + 당기총제조원가 - 기말재공품재고액(재공품계정)

(5) 매출원가 = 기초제품재고액 + 당기제품제조원가 - 기말제품재고액(제품계정)

직접재료원가 =
기초원재료재고액 +
당기원재료매입액 -
기말원재료재고액(원재료계정)

(6) T-계정

원재료

차변	금액	대변	금액
기 초	100	DM	900
매 입	1,000	기 말	200
	1,100		1,100

재공품

차변	금액	대변	금액
기 초	200	당기제품	2,100
DM	900		
DL	600		
OH	500	기 말	100
	2,200		2,200

제품

차변	금액	대변	금액
기 초	300	매출원가	2,000
제조원가	2,100	기 말	400
	2,400		2,400

원재료 · 재공품

차변	금액	대변	금액
기초원재료	100	당 기 제 품 제 조 원 가	2,100
기초재공품	200		
원재료매입	1,000		
DL	600	기말원재료	200
OH	500	기말재공품	100
	2,400		2,400

제품 · 재공품

차변	금액	대변	금액
기초재공품	200	매 출 원 가	2,000
기 초 제 품	300		
DM	900		
DL	600	기말재공품	100
OH	500	기 말 제 품	400
	2,500		2,500

재고자산(원재료 · 재공품 · 제품)

차변	금액	대변	금액
기초원재료	100	매 출 원 가	2,000
기초재공품	200		
기 초 제 품	300		
원재료매입	1,000	기말원재료	200
DL	600	기말재공품	100
OH	500	기 말 제 품	400
	2,700		2,700

(7) 시험에서는 합산 T-계정을 이용해서 문제를 푸는 것이 효율적이다.

단원별 객관식문제

01 원가의 분류와 제조원가의 흐름

01 제조원가에 대한 설명으로 않은 것은?

① 제품의 단위당 변동원가는 조업도에 비례하여 증감한다.
② 고정원가는 관련범위 내에서 조업도와 무관하게 총액은 일정하다.
③ 비용 중에는 변동원가와 고정원가로 구분하기 어려운 것도 있다.
④ 변동원가와 고정원가의 분류는 원가통제에 유용하다.

해설 정답 ①

변동원가는 조업도에 비례하여 증가하고, 단위당 변동원가는 조업도에 관계없이 일정하다.

02 조업도에 따른 원가의 분류 중 고정원가에 대한 설명으로 옳은 것은?

① 조업도의 증감에 따라 비례적으로 증감한다.
② 고정원가의 전형적인 예로는 직접재료원가와 직접노무원가가 있다.
③ 생산량이 증가해도 고정원가는 항상 일정하다.
④ 생산량과는 관계없이 단위당 고정원가는 항상 일정하다.

해설 정답 ③

고정원가	조업도에 관계없이 총원가는 일정하고 단위당 원가는 감소함
변동원가	조업도에 따라 총원가는 증가하고, 단위당 원가는 일정함

03 ㈜해커는 단일제품을 생산하고 있다. 20×1년 자료가 다음과 같을 때, 당기 직접재료 매입액과 당기에 발생한 직접노무원가는?

	재고자산 기초재고	기말재고
직접재료	₩ 18,000	₩ 13,000
재공품	₩ 25,000	₩ 20,000
기본원가	₩ 85,000	
가공원가	₩ 75,000	
당기제품제조원가	₩ 130,000	
매출원가	₩ 120,000	

	직접재료 매입액	직접노무원가
①	₩ 45,000	₩ 35,000
②	₩ 45,000	₩ 40,000
③	₩ 50,000	₩ 35,000
④	₩ 50,000	₩ 40,000

해설 정답 ①

(1) 당기총제조원가: ₩ 130,000 + ₩ 20,000 - ₩ 25,000 = ₩ 125,000
(2) 직접노무원가: ₩ 85,000 + ₩ 75,000 - ₩ 125,000 = ₩ 35,000
(3) 직접재료원가: ₩ 85,000 - ₩ 35,000 = ₩ 50,000
(4) 직접재료매입액: ₩ 50,000 + ₩ 13,000 - ₩ 18,000 = ₩ 45,000

04 단일제품을 생산하는 ㈜해커는 매출원가의 20%를 이익으로 가산하여 제품을 판매하고 있다. 당기의 생산 및 판매 자료가 다음과 같다면, ㈜해커의 당기 직접재료매입액과 영업이익은?

• 재고자산

	기초재고	기말재고
직접재료	₩ 17,000	₩ 13,000
재공품	₩ 20,000	₩ 15,000
제품	₩ 18,000	₩ 23,000

• 기본(기초)원가 ₩ 85,000
• 가공(전환)원가 ₩ 98,000
• 매출액 ₩ 180,000
• 판매관리비 ₩ 10,000

	직접재료매입액	영업이익
①	₩ 46,000	₩ 15,000
②	₩ 48,000	₩ 15,000
③	₩ 48,000	₩ 20,000
④	₩ 52,000	₩ 20,000

해설 정답 ③

원재료 + 재공품 + 제품

기초재고	₩ 55,000	매출원가	₩ 150,000
원재료 매입액	×		
가공원가	98,000	기말재고	51,000
합계	₩ 201,000		₩ 201,000

(1) 매출원가: ₩ 180,000 × 1/1.2 = ₩ 150,000
(2) 원재료 매입액: ₩ 201,000 − ₩ 55,000 − ₩ 98,000 = ₩ 48,000
(3) 영업이익: ₩ 180,000 − ₩ 150,000 − ₩ 10,000 = ₩ 20,000

05 (주)해커는 기계장치를 생산, 판매하는 기업으로 사업 첫 해에 다음과 같은 원가가 발생했다. 이 자료를 바탕으로 원가계산을 했을 경우 다음 <보기>의 설명 중 타당하지 않은 것만을 모두 고르면? (단, 기초재공품재고액은 없고, 기말재공품재고액이 ₩10 존재한다)

직접재료원가	₩110	직접노무원가	₩120
간접경비	₩200	간접재료원가	₩30
간접노무원가	₩60	광고선전비	₩20
판매직급여	₩30	관리직급여	₩70
이자비용	₩10		

<보기>

ㄱ. 당기제품제조원가는 ₩510이다.
ㄴ. 기본원가(기초원가, prime costs)는 ₩230이다.
ㄷ. 제조간접원가에는 어떤 재료원가도 포함되지 않으므로 간접노무원가와 간접경비를 합한 ₩260이다.
ㄹ. 당기총제조원가는 ₩520으로, 기본원가에 가공원가를 합한 금액이다.
ㅁ. 기간원가는 ₩130으로, 재고가능원가라고 부르기도 한다.

① ㄱ, ㄴ
② ㄷ, ㄹ
③ ㄹ, ㅁ
④ ㄷ, ㄹ, ㅁ

해설 정답 ④

ㄷ. 제조간접원가에는 간접재료원가도 포함된다.
ㄹ. 당기총제조원가는 기본원가에 제조간접비를 합한 금액이다.
ㅁ. 기간원가는 재고불능원가라고 부르기도 한다.

선지분석

ㄱ. 당기총제조원가 = 직접재료원가 + 직접노무원가 + 제조간접원가 = ₩110 + ₩120 + ₩290[*1] = ₩520
(*1) 간접재료원가 + 간접노무원가 + 간접경비
당기제품제조원가 = 기초재공품원가 + 당기총제조원가 - 기말재공품원가 = ₩0 + ₩520 - ₩10 = ₩510
ㄴ. 기본원가 = 직접재료원가 + 직접노무원가: ₩110 + ₩120 = ₩230

06 여러 종류의 제품을 생산하는 제조업의 경우 다음 중 제조간접원가에 포함되어야 하는 것은?

① 기획담당 임원 인건비
② 공장 전체의 수도광열비
③ 특정 제품 주재료의 매입운임과 매입수수료
④ 특정 생산라인 작업인력의 인건비

해설 정답 ②

공장 전체의 수도광열비는 제조간접원가에 포함된다.

(선지분석)

① 판매비와 관리비: 기획담당 임원 인건비, 판매사원의 급료
③ 직접재료원가: 특정 제품 주재료의 매입운임과 매입수수료
④ 직접노무원가: 특정 생산라인 작업인력의 인건비

07 다음 중에서 자동차 생산기업의 제조간접원가에 포함되는 항목은?

① 특정 자동차 생산라인에서 일하는 생산직의 급여
② 타이어 생산업체에서 구입한 타이어
③ 판매관리직의 인건비
④ 생산을 지원하는 구매부나 자재관리부 직원의 급여

해설 정답 ④

(선지분석)

① 직접노무원가, ② 직접재료원가, ③ 판매비와 관리비이다.

08 ㈜해커의 20×1년 1월 중 발생한 제조원가 및 비용에 대한 자료가 다음과 같을 때, 20×1년 1월에 발생한 가공원가는? (단, ㈜해커는 20×1년 1월 초에 ₩3,000, 1월 말에 ₩1,000의 직접재료가 있었다)

항목	금액
직접재료 매입비	₩2,000
직접노무원가	3,000
감가상각비 – 공장건물	500
감가상각비 – 영업점포	300
공장감독자 급여	100
기타 제조간접원가	200
계	₩6,100

① ₩3,800
② ₩4,100
③ ₩5,000
④ ₩6,100

해설 정답 ①

가공원가 = 직접노무원가 + 제조간접원가 = ₩3,000 + ₩500(감가상각비 – 공장건물) + ₩100(공장감독자 급여) + ₩200(기타 제조간접원가) = ₩3,800

09 ㈜해커의 20×1 회계연도 중 재료구입액은 ₩200,000이고, 직접노무원가와 제조간접원가 발생액이 각각 ₩150,000과 ₩155,000일 경우 다음 자료를 이용하여 당기제품제조원가와 매출원가를 계산하면?

구분	20×1. 1. 1.	20×1. 12. 31.
재　　료	₩100,000	₩80,000
재 공 품	₩120,000	₩150,000
제　　품	₩150,000	₩200,000

	제품제조원가	매출원가
①	₩495,000	₩445,000
②	₩495,000	₩475,000
③	₩505,000	₩445,000
④	₩505,000	₩475,000

해설 정답 ①

원재료

차변	금액	대변	금액
전 기 이 월	100,000	직접재료원가	220,000
당기매입액	200,000	차 기 이 월	80,000
	300,000		300,000

재공품

차변	금액	대변	금액
전 기 이 월	120,000	당 기 제 품 제 조 원 가	495,000
직접재료원가	220,000		
직접노무원가	150,000	차 기 이 월	150,000
제조간접원가	155,000		
	645,000		645,000

제품

차변	금액	대변	금액
전 기 이 월	150,000	매 출 원 가	445,000
당 기 제 품 제 조 원 가	495,000	차 기 이 월	200,000
	645,000		645,000

10 다음 자료를 이용하여 20×1년 1월의 매출원가를 계산하면?

<자료 1>

재고자산	20×1. 1. 1.	20×1. 1. 31.
직접재료	₩30,000	₩40,000
재공품	₩50,000	₩30,000
제품	₩70,000	₩50,000

<자료 2>

- 20×1년 1월 중 직접재료 매입액은 ₩110,000이다.
- 20×9년 1월 중 직접노무원가의 발생액은 가공원가 발생액의 60%이다.
- 20×9년 1월 중 제조간접원가 발생액은 ₩80,000이다.

① ₩340,000　　② ₩370,000
③ ₩400,000　　④ ₩420,000

해설 정답 ①

원재료

기초	30,000	DM	100,000
매입	110,000	기말	40,000
	140,000		140,000

재공품

기초	50,000	당기제품제조원가	320,000
DM	100,000		
DL(*1)	120,000	기말	30,000
OH	80,000		
	350,000		350,000

제품

기초	70,000	매출원가	340,000
당기제품제조원가	320,000	기말	50,000
	390,000		390,000

(*1) OH = ₩80,000, DL = (DL + OH) × 60% ∴ DL = ₩120,000

11 기본원가와 가공원가에 공통적으로 해당하는 항목은?

① 제품제조원가　　② 제조간접원가
③ 직접재료원가　　④ 직접노무원가

해설 정답 ④

(1) 기본원가 = 직접재료원가 + 직접노무원가
(2) 가공원가 = 직접노무원가 + 제조간접원가

12 **다음 자료를 토대로 계산한 ㈜해커의 매출총이익은?**

- 당기 중 직접재료원가는 전환원가의 50%이다.
- 직접노무원가 발생액은 매월 말 미지급임금으로 처리되며 다음 달 초에 지급된다. 미지급임금의 기초금액과 기말금액은 동일하며, 당기 중 직접노무원가의 지급액은 ₩450이다.
- 재공품 및 제품의 기초금액과 기말금액은 ₩100으로 동일하다.
- 기타 발생비용으로 감가상각비(생산현장) ₩100, 감가상각비(영업점) ₩100, CEO 급여 ₩150, 판매수수료 ₩100이 있다. CEO 급여는 생산현장에 1/3, 영업점에 2/3 배부된다.
- 매출액은 ₩2,000이다.

① ₩1,050
② ₩1,100
③ ₩1,150
④ ₩1,200

해설 정답 ②

(1) 직접노무원가(DL) = ₩450
(2) 제조간접원가(OH) = ₩100 + ₩150 × 1/3 = ₩150
(3) 직접재료원가(DM) = 가공원가(DL + OH) × 50%
∴ 직접재료원가(DM) = ₩300
(4) 당기총제조원가 = 당기제품제조원가 = 매출원가 = ₩450 + ₩150 + ₩300 = ₩900
(5) 매출총이익 = 매출액 - 매출원가 = ₩2,000 - ₩900 = ₩1,100

02 개별원가계산

1 개별원가계산의 의의

1. 생산방식에 따른 원가계산제도

(1) 제품원가계산은 각 기업의 생산형태에 따라 또는 원가집계방법에 따라 개별원가계산(작업별원가계산)과 종합원가계산(공정별원가계산)으로 나눌 수 있다.

(2) **개별원가계산**(Job order costing)
① 다품종, 소량, 주문생산 → 작업원가표
② 작업별원가계산, 직접원가 · 간접원가 구분 중요

(3) 개별원가계산은 주로 조선업, 항공기업, 기계공업 등과 같이 고객의 주문에 따라 특정 제품을 개별적으로 생산하는 기업에서 사용하는 원가계산방법으로, 제조원가를 개별 작업별로 구분하여 집계한다. 개별원가계산은 고객의 요구에 따라 작업내용을 명확히 구분할 수 있는 회계법인, 법무법인, 컨설팅업체, 병원 등 서비스업체에도 적용될 수 있다.

(4) **종합원가계산**(Process costing)
① 단일, 대량, 연속생산 → 제조원가보고서
② 공정별원가계산, 재료원가 · 가공원가 구분 중요

(5) 종합원가계산은 정유업, 화학공업, 제지업 등과 같이 동종 제품을 연속적으로 대량생산하는 기업에서 사용하는 원가계산방법으로, 제조원가를 제조공정별로 구분하여 집계한다.

표로 확인하기 | 개별원가계산과 종합원가계산

구분	개별원가계산	종합원가계산
생산형태	고가의 재고를 주문생산하는 기업	동종 제품을 대량생산하는 기업
원가집계	개별 작업별로 원가집계	제조공정별로 원가집계
원가계산 서류	작업원가표	제조원가보고서

2. 개별원가 계산의 의의

주문생산방식에 의해 생산되는 개별 작업별로 제품원가를 계산하는 원가계산제도이다.

(1) 직접재료원가와 직접노무원가 - 직접추적

① 개별원가계산에서는 개별 작업별로 원가를 집계하므로 제조직접원가와 제조간접원가의 구분이 중요하다.

② 직접재료원가와 직접노무원가는 개별 작업에 직접 추적할 수 있으므로 작업원가표에 발생된 원가를 그대로 집계한다.

(2) 제조간접원가 - 제조간접원가 배부율을 이용하여 배부

① 개별 작업을 완성하는 과정에서 직접재료원가, 직접노무원가뿐만 아니라 간접재료원가, 간접노무원가, 공장재산세, 공장건물 감가상각비, 전기요금 등과 같은 제조간접원가도 필연적으로 발생한다.

② 제조간접원가는 여러 작업에서 공통적으로 발생하므로 특정 작업과의 관계가 불확실하여 개별 작업에 직접 추적하는 것이 불가능하며, 가능하다 해도 시간과 절차면에서 추적하는 것이 오히려 비효율적이다.

③ 제조간접원가는 합리적인 배부기준을 선정하여 제조간접원가 배부율을 계산한 후 제조간접원가 배부율을 이용하여 개별 작업에 배부하게 된다.

④ 일반적으로 노동집약적인 작업환경에서는 직접노동시간이나 직접노무원가가, 기계집약적인 작업환경에서는 기계작업시간이 주로 배부기준으로 이용된다.

표로 확인하기 | 개별원가계산 절차

구분	내용
직접재료원가, 직접노무원가	개별 작업에 직접 추적해서 부과
제조간접원가	• 개별 작업에 적정한 배부기준(조업도)에 따라 배부 • 제조간접원가 배부율을 이용하여 원가대상에 배부
조업도	• 일정기간 동안에 기업이 보유하고 있는 생산수단(노동력, 설비 등)의 이용정도 • 직접노무시간(원가), 기계시간 등을 배부기준으로 사용

3. 작업원가표 작성 방법

(1) 작업원가표 작성절차

	#101	#102	#103
DM	×××	×××	×××
DL	×××	×××	×××
OH	배부		

① 직접재료원가(DM)와 직접노무원가(DL)는 발생(투입)시점에 기록한다(각 작업에 직접 추적).

② 제조간접원가(OH)는 기말에 배부기준(조업도)에 의해 배부한다.

(2) 제조간접원가 배부

① 제조간접원가 배부율(OH rate)

$$\text{제조간접원가 배부율(OH rate)} = \frac{\text{제조간접원가 발생액}}{\text{실제 조업도}}$$

② 작업별 제조간접원가(OH) 배부율

작업별 제조간접원가(OH)배부액 = 당해작업이 소비한 배부기준(조업도) × OH rate

사례 — 예제

㈜해커는 직접노동시간을 기준으로 제조간접원가를 배부하고 있으며, 관련자료는 다음과 같다. 실제 발생 제조간접원가는 ₩1,200,000, 실제직접노동시간 2,000시간이었다.

	재공품	제품	매출원가	합계
직접재료원가	₩150,000	₩150,000	₩200,000	₩500,000
직접노무원가	250,000	150,000	100,000	500,000
직접노동시간	1,000시간	600시간	400시간	2,000시간

실제개별원가계산에 의한 재고품, 제품, 매출원가 금액은 얼마인가?

해설

[1] 제조간접원가 배부율 $= \frac{\text{제조간접원가발생액}}{\text{실제조업도}} = \frac{₩1,200,000}{2,000\text{시간}} = ₩600/\text{시간}$

[2] 각 계정별 제조간접원가의 예정배부

	재공품	제품	매출원가	합계
직접재료원가	₩150,000	₩150,000	₩200,000	₩500,000
직접노무원가	250,000	150,000	100,000	500,000
제조간접원가	600,000	360,000	240,000	1,200,000
계	₩1,000,000	₩660,000	₩540,000	₩2,200,000

2 부문별 제조간접원가의 배부

1. 보조부문원가의 제조간접원가 배부과정

(1) 제조기업에서는 여러 가지 제조과정을 통하여 제품을 완성하는데, 제조기업은 관리의 편의를 위하여 제조과정을 특성에 따라 구분하여 관리하고 이를 부문이라고 한다. 제조부문(production department)은 직접 제품을 생산하는 활동을 수행하는 부문이고, 보조부문(service department)은 직접 제품은 생산하지 않고 제조부문이나 다른 보조부문에 용역을 제공한다. 보조부문의 예로는 전력부문, 식당부문 등이 있다.

(2) 제조부문은 직접 제품생산활동을 수행하기 때문에 제품과의 관련성을 찾을 수 있어 제조부문의 제조간접원가를 제품에 배부하는 것은 크게 어려움이 없다. 그러나 보조부문은 직접 제품생산활동을 수행하는 것이 아니라 제조부문의 제품생산에 필요한 용역을 제공함으로써 간접적으로 제품생산에 기여하므로 보조부문의 제조간접원가는 제품과의 관련성을 찾기 어렵다. 따라서 좀 더 정확한 제품원가계산을 위해서는 보조부문의 제조간접원가를 제조부문에 배분한 후 다시 제품에 배부하는 과정을 거쳐야 한다.

제조간접원가를 배부할 때 일반적으로 사용하는 배부기준은 직접노무원가, 직접노무시간 등이다. 제조부문은 직접 제품생산활동을 수행하므로 직접노무원가 또는 직접노무시간을 쉽게 파악할 수 있지만 보조부문은 직접 제품생산활동을 수행하지 않으므로 직접노무원가 또는 직접노무시간이 존재하지 않는다. 따라서 보조부문의 제조간접원가를 제품으로 직접 배부하는 것은 불가능하다.

(3) 보조부문은 제품생산에 직접 관여하지 않으므로 제품에 추적할 수 있는 직접원가는 존재하지 않으며 보조부문에서 발생하는 원가는 전액 제조간접원가이다.

(4) 공장 전체 및 부문별 제조간접원가배부율

① 공장 전체 제조간접원가 배부율을 사용할 경우: 보조부문원가를 제조부문에 배분할 필요 없이 보조부문과 제조부문원가를 합산한 총 금액을 각 제품별로 조업도 비율에 따라 배분한다.

② 부문별 제조간접원가 배부율을 사용할 경우

㉠ 보조부문원가를 어떠한 방법에 의하여 배분하느냐에 따라 제조부문에 집계된 제조간접원가가 달라진다.

㉡ 먼저 보조부문원가를 제조부문에 배분하고 제조부문의 제조간접원가와 보조부문으로부터 배분받은 금액을 합하여 개별 작업에 배부한다.

사례 — 예제

㈜해커에는 절단부문과 조립부문의 두 개의 제조부문만 존재한다. 다음은 ㈜해커의 원가에 대한 자료이다.

ㄱ. 절단부문에서는 20×1년 중에 총 10,000시간의 노동시간과 50,000시간의 기계시간이 발생했다.
ㄴ. 조립부문에서는 20×1년 중에 총 40,000시간의 노동시간과 25,000시간의 기계시간이 발생했다.
ㄷ. 20×1년 ㈜해커에서 부문별로 발생한 제조간접비는 각 부문별로 ₩1,000,000이다.
ㄹ. 작업1은 절단부문에서 노동시간 3,000시간, 기계시간 30,000시간을 사용하였고, 조립부문에서는 노동시간 15,000시간, 기계시간 15,000시간을 사용하였다.
ㅁ. 작업2는 절단부문에서 노동시간 7,000시간, 기계시간 20,000시간을 사용하였고, 조립부문에서는 노동시간 25,000시간, 기계시간 10,000시간을 사용하였다.

공장전체 제조간접원가 배부율을 사용할 경우 조업도는 노동시간으로 하고 부문별 제조간접원가배부율을 사용할 경우 절단부문은 기계시간, 조립부문은 노동시간으로 조업도를 할 경우 작업1과 작업2의 제조원가를 구하시오.

해설

[1] 공장전체 제조간접 배부율을 사용할 경우
(1) 제조간접원가 배부율 = ₩2,000,000/50,000시간 = ₩40/노동시간
(2) 작업1의 제조원가 = ₩40 × 18,000시간 = ₩720,000
작업2의 제조원가 = ₩40 × 32,000시간 = ₩1,280,000

[2] 부문별 제조간접비 배부율을 사용하는 경우
(1) 절단부문 제조간접원가 배부율 = ₩1,000,000/50,000기계시간 = ₩20
조립부문 제조간접원가 배부율 = ₩1,000,000/40,000노동시간 = ₩25
(2) 작업1의 제조원가 = ₩20 × 30,000시간 + ₩25 × 15,000시간 = ₩975,000
작업2의 제조원가 = ₩20 × 20,000시간 + ₩25 × 25,000시간 = ₩1,025,000

2. 보조부문원가의 배분방법

(1) 보조부문이 하나만 존재하거나 보조부문이 여러 개 존재하더라도 다른 보조부문에는 용역을 제공하지 않고 제조부문에만 용역을 제공한다면 보조부문원가를 제조부문에 배분하는 과정은 복잡하지 않다.

(2) 보조부문 상호간에 서로 용역을 주고받는 것이 일반적인데 이와 같은 상황에서는 보조부문원가를 배분하는 과정이 복잡해진다. 이때에는 보조부문 상호간에 용역수수관계를 어느 정도 인식할 것인지를 먼저 결정해야하는데, 보조부문 상호간의 용역수수관계 인식정도에 따라 직접배분법, 단계배분법, 상호배분법으로 나눌 수 있다. 단, 어느 방법에 의하든 배분 전이나 배분 후의 제조간접원가 총액은 항상 일치해야 한다.

(3) 직접배분법은 보조부문 상호간에 용역수수관계를 전혀 인식하지 않고 보조부문원가를 배분하는 방법이다. 따라서 보조부문원가를 다른 보조부문에는 전혀 배분하지 않고 제조부문에만 배분한다.

(4) 단계배분법은 보조부문 상호간의 용역수수관계를 부분적으로 인식하여 보조부문원가를 배분하는 방법이다. 단계배분법에서는 보조부문원가의 배분순서부터 정한 후, 그 순서에 따라 보조부문원가를 다른 보조부문과 제조부문에 배분한다.

(5) 주의할 점은 단계배분법에서는 배분이 끝난 보조부문에는 보조부문원가를 배분하지 않는다는 점이다. 따라서 단계배분법에서는 어느 보조부문원가부터 배분하는가에 따라 그 결과가 달라진다.

(6) 상호배분법은 보조부문 상호간의 용역수수관계를 완전히 인식하여 보조부문원가를 용역을 제공한 다른 보조부문과 제조부문에 배분하는 방법이다. 상호배분법을 적용해서 원가를 배분하기 위해서는 간단한 연립일차방정식을 활용해야 한다.

표로 확인하기 | 보조부문원가 배분방법

직접배분법	보조부문 상호간의 용역수수를 완전히 무시하고 보조부문원가를 제조부문에만 배분하는 방법
단계배분법	보조부문의 배분순서를 정하여 선순위부문원가는 용역을 제공받은 타부문에 모두 배분하고 후순위부문원가는 선순위부문을 제외한 나머지 부문에 순차적으로 배분하는 방법
상호배분법	• 보조부문 상호간의 용역수수를 완전히 인식하여 보조부문원가를 배분하는 방법 • 상호배분법에서의 연립방정식 배분할 총원가 = 자기부문발생원가 + 타부문으로부터 배분받은 원가

사례 — 예제

㈜해커의 공장에는 두 개의 보조부문 A, B와 두 개의 제조부문 X, Y가 있다. 각 부문의 용역수수관계와 발생원가(제조간접비)는 다음과 같다.

제공 \ 사용	보조부문		제조부문		계
	A	B	X	Y	
A	–	20%	50%	30%	100%
B	50%	–	10	40	100
발생원가	₩200,000	₩100,000	₩300,000	₩400,000	₩1,000,000

이를 참고하여 보조부문원가의 배분방법 각각에 따른 원가배분을 구하시오.

해설

[1] 직접배분법

	보조부문		제조부문		계
	A	B	X	Y	
배분전원가	₩200,000	₩100,000	₩300,000	₩400,000	₩1,000,000
A원가배분[*1]	(200,000)		125,000	75,000	0
B원가배분[*2]		(100,000)	20,000	80,000	0
배분후원가	₩0	₩0	₩445,000	₩555,000	₩1,000,000

(*1) X : Y = 50 : 30

(*2) X : Y = 10 : 40

[2] 단계배분법

	보조부문		제조부문		계
	A	B	X	Y	
배분전원가	₩200,000	₩100,000	₩300,000	₩400,000	₩1,000,000
A원가배분(*1)	(200,000)	400,000	100,000	60,000	0
B원가배분(*2)		(140,000)	28,000	112,000	0
배분후원가	₩0	₩0	₩428,000	₩572,000	₩1,000,000

(*1) B : X : Y = 20 : 50 : 30

(*2) X : Y = 10 : 40

[3] 상호배분법

	보조부문		제조부문		계
	A	B	X	Y	
배분전원가	₩200,000	₩100,000	₩300,000	₩400,000	₩1,000,000
A원가배분(*4)	(277,778)(*3)	55,556	138,889	83,333	0
B원가배분(*5)	77,778	(155,556)(*3)	15,556	62,222	0
배분후원가	₩0	₩0	₩45,445	₩545,555	₩1,000,000

(*3) 보조부문의 배분될 총원가계산

보조부문 A, B의 배분될 총원가를 각각 A, B라 하면,

$$\begin{cases} A = ₩200,000 + 0.5B \\ B = ₩100,000 + 0.2A \end{cases}$$

이 연립방정식을 풀면 A = ₩277,778, B = ₩155,556

(*4) B : X : Y = 20 : 50 : 30

(*5) A : X : Y = 50 : 10 : 40

3. 자가소비용역(self-service)부문이 있는 경우

(1) 자가소비용역은 전력부문이 생산한 전력을 전력부문이 일부 소비하거나 식당부문에서 만든 음식을 식당부문의 종업원이 먹는 경우와 같이 자기부문이 제공하는 용역을 자기부문이 소비하는 것을 말한다.

(2) 자가소비용역이 존재하는 경우 자기부문에 원가를 배분하든지 배분하지 않든지 최종배분결과는 동일하므로 수험목적상으로는 자기부문에는 원가를 배분하지 않는 방법으로 접근하는 것이 더 간편하고 바람직하다.

4. 단일배분율법과 이중배분율법

보조부문원가를 변동원가와 고정원가로 구분하여 배분하는지의 여부에 따라 단일배분율법과 이중배분율법으로 나눌 수 있다.

(1) 단일배분율법

① 단일배분율법은 보조부문원가를 변동원가와 고정원가로 구분하지 않고 하나의 배분기준을 적용하여 배분하는 방법으로 지금까지 살펴본 방법이 단일배분율법이다. 단일배분율법에서는 일반적으로 실제조업도를 배분기준으로 사용한다.

② 단일배분율법은 적용이 간단하다는 장점이 있지만 변동원가와 고정원가가 발생하는 원인에 대한 차이점을 제대로 인식하지 못하므로 원가배분의 정확성이 떨어진다.

(2) 이중배분율법

① 이중배분율법은 보조부문원가를 배분할 때 변동원가와 고정원가로 구분하여 각각 다른 배분기준을 적용하는 방법이다. 이중배분율법은 변동원가와 고정원가가 발생하는 원인에 대한 차이점을 인식하여 보조부문원가를 배분한다.

② 보조부문의 변동원가는 실제사용량에 비례하여 발생하므로 실제사용량을 기준으로 배분하는 것이 합리적이나, 고정원가의 대부분은 설비의 감가상각비와 같이 용역을 제공하기 위한 설비와 관련이 있고 보조부문은 최대 용역 사용량을 기준으로 설비투자를 하는 것이 일반적이다. 따라서 보조부문의 고정원가는 용역의 실제사용량이 아닌 최대사용가능량(예정사용량)을 기준으로 배분하는 것이 이중배분율법이다.

사례 — 예제

㈜해커의 공장에는 하나의 보조부문 A와 두 개의 제조부문 X, Y가 있다. 보조부문 A는 두 개의 제조부문 X, Y에 전력을 공급하고 있는데, 각 제조부문의 월간 최대사용가능량과 5월의 실제사용량은 다음과 같다.

	X	Y	계
최대사용가능량	500kwh	1,500kwh	2,000kwh
5월 실제사용량	500	500	1,000

한편, 5월 중 각 부문에서 발생한 원가(제조간접비)는 다음과 같다.

	보조부문	제조부문		계
	A	X	Y	
변동비	₩100,000	₩140,000	₩160,000	₩400,000
고정비	200,000	160,000	240,000	600,000
계	₩300,000	₩300,000	₩400,000	₩1,000,000

문제

이중배분율법에 의하여 보조부문원가를 제조부문에 배분하시오.

해설

[1] 변동비 배분

	보조부문	제조부문		계
	A	X	Y	
배분전원가	₩100,000	₩140,000	₩160,000	₩400,000
A원가배분[*1]	(100,000)	50,000	50,000	0
배분후원가	₩0	₩190,000	₩210,000	₩400,000

(*1) X : Y = 500 : 500

[2]고정비 배분

	보조부문	제조부문		계
	A	X	Y	
배분전원가	₩200,000	₩160,000	₩240,000	₩600,000
A원가배분[*1]	(200,000)	50,000	150,000	0
배분후원가	₩0	₩210,000	₩390,000	₩600,000

(*1) X : Y = 500 : 1,500

∴ 보조부문원가를 배분한 후의 제조부문 X, Y 원가는 각각 ₩400,000, ₩600,000이다.

3 정상개별원가계산

정상개별원가계산은 제조간접원가 예정배부율을 이용하여 제조간접원가를 배부함으로써 실제개별원가계산의 문제점(제품원가계산의 지연)을 극복하고자 하는 원가계산방법이다.

1. 의의

(1) 직접재료원가 · 직접노무원가는 실제개별원가계산과 같이 실제발생액을 개별 작업에 직접 추적하여 집계

(2) 제조간접원가는 기초에 결정한 제조간접원가 예정배부율을 이용하여 각 개별 작업에 배부

2. 정상개별원가계산의 절차

(1) 제조간접원가 예정배부율 계산

제조활동을 수행하기 전에 미리 계산하며 다음의 식을 이용한다.

$$\text{제조간접원가 예정배부율} = \frac{\text{(공장전체 또는 부문별) 제조간접원가예산}^{*1}}{\text{(공장전체 또는 부문별) 예정조업도}^{*2}}$$

(*1) OH예산(고정예산) = FOH예산 + 예정조업도 × 조업도 단위당 VOH

(*2) 일반적으로 다음 네 가지 중에서 선택하며, 그 중 정상조업도와 연간기대조업도가 많이 사용된다.

① **이론적 최대조업도**: 최고의 능률로 생산설비를 최대로 이용할 경우에 달성되는 조업도이다.

② **실제적 최대조업도**: 이론적 최대조업도에 불가피한 작업중단에 따른 조업도 감소를 반영한 조업도이다.

③ **정상조업도**: 정상적인 상황에서 상당한 기간 동안 평균적으로 달성할 수 있을 것으로 예상되는 조업도로서 계획된 유지활동에 따른 조업도 손실을 고려한 조업도이다(평균조업도, 평준화조업도).

④ **연간기대조업도**: 다음 1년간의 예상판매량을 고려하여 결정한 조업도이다(예산조업도).

(2) **제조간접원가예정배부**

당해작업이 소비한 실제조업도를 측정함으로써 원가계산이 이루어진다.

제조간접원가 예정배부액 = 실제조업도 × 제조간접원가 예정배부율

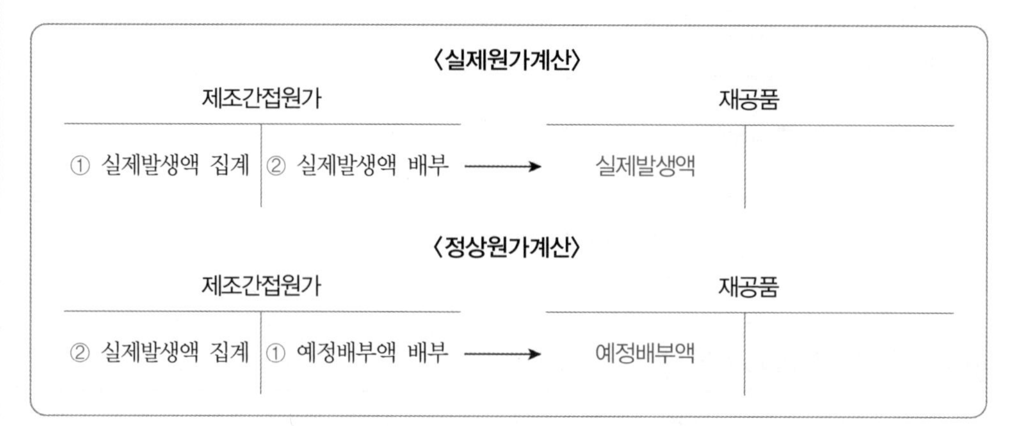

실제원가계산과 정상원가계산에서의 제조간접원가계산 비교

(3) **제조간접원가 배부차이의 조정**

① 과소(부족)배부: 제조간접원가 실제발생액 > 제조간접원가 예정배부액

② 과대(초과)배부: 제조간접원가 실제발생액 < 제조간접원가 예정배부액

③ T계정을 통한 제조간접원가 배부차이

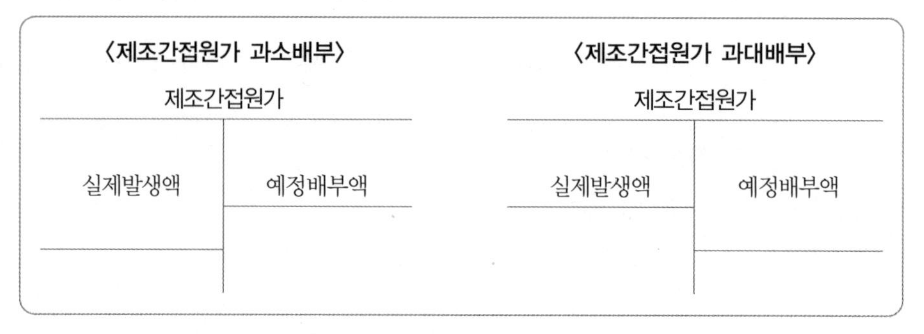

3. 제조간접원가 배부차이의 조정방법

(1) 정상개별원가계산에서는 예정배부율을 이용해 제조간접원가를 예정배부하므로, 제조간접원가 예정배부액은 기말에 집계되는 제조간접원가 실제발생액과 일치하지 않을 것이다. 이를 제조간접원가 배부차이라 부르고, 정확한 원가계산을 위해서는 이 배부차이를 조정해야 한다.

(2) **원가요소별 비례배분법**

① 제조간접원가 배부차이를 재공품, 제품, 매출원가계정의 제조간접원가 예정배부액 비율에 따라 배분하는 방법이다.

② 실제개별원가계산과 결과가 일치한다.

(3) 총원가 비례배분법

제조간접원가 배부차이를 재공품, 제품, 매출원가계정의 총원가(정상원가 기말잔액) 비율에 따라 배분하는 방법이다.

(4) 매출원가조정법

① 제조간접원가 배부차이를 매출원가에 가감하는 방법이다.

② 재공품계정 및 제품계정은 여전히 정상원가로 기록되므로 제조간접원가 배부차이가 중요하지 않은 경우(실제원가 ≒ 정상원가) 또는 '매출원가 > 기말재고(재공품 및 제품)'인 경우에 사용한다.

(5) 기타손익법

① 제조간접원가 배부차이를 기타손익으로 처리하는 방법이다.

② 제조간접원가 배부차이가 비정상적인 사건에 의해 발생한 경우에 사용한다.

4. 장점과 단점

(1) 장점

① 기중에 제조간접원가 예정배부율을 이용해 원가계산을 하므로 기말에 제조간접원가 실제발생액이 확정되기 전에도 원가계산을 할 수 있다.

② 즉, 실제개별원가계산이 가지고 있는 원가계산지연의 문제를 해결할 수 있다.

(2) 단점

① 기초에 제조간접원가 예정배부율을 구하기 위해 제조간접원가와 배부기준수를 추정해야 하는 번거로움이 있다.

② 기중 제조간접원가 예정배부액과 기말 제조간접원가 실제발생액이 일치하지 않는 문제점이 있다.

사례 — 예제

㈜해커는 직접노동시간을 기준으로 제조간접비를 예정배부하고 있다. 회사는 연초에 연간 제조간접비를 ₩1,250,000, 직접노동시간을 2,500시간으로 예상하였다. 20×1년 중 작업번호가 #101, #102, #103인 세 가지 작업을 시작하여 작업 #101, #102가 완성되었다. 이 세 가지 작업에 대한 당기 중의 원가자료는 다음과 같다.

	#101	#102	#103	계
직접재료비	₩150,000	₩150,000	₩200,000	₩500,000
직접노무비	₩250,000	₩150,000	₩100,000	₩500,000
직접노동시간	1,000시간	600시간	400시간	2,000시간

20×1년 제조간접비 발생액은 ₩1,200,000이었다.

문제

[1] 제조간접비 예정배부율을 구하시오.

[2] 제조간접비를 예정배부하여 작업별 제조원가를 구하시오.

[3] 20×1년 중 작업 #101이 판매되었다고 할 때, 제조간접비 배부차이 ₩200,000을 다음의 각 방법에 따라 조정하는 회계처리를 나타내시오.

(1) 원가요소별 비례배분법

(2) 총원가 비례배분법

(3) 매출원가조정법

(4) 기타손익법

해설

[1] 제조간접비 예정배부율

$$\frac{\text{제조간접비예산}}{\text{예정조업도}} = \frac{₩1,250,000}{2,500\text{시간}} = \text{직접노동시간당 ₩500}$$

[2] 제조간접비의 예정배부 및 작업별 제조원가

	#101	#102	#103	합계
직접재료비	₩150,000	₩150,000	₩200,000	₩500,000
직접노무비	250,000	150,000	100,000	500,000
제조간접비[*1]	500,000	300,000	200,000	1,000,000
계	₩900,000	₩600,000	₩500,000	₩2,000,000

(*1) 작업별 소비한 직접노동시간 × ₩500(예정배부)

[3] 회계처리

(1) 원가요소별 비례배분법

	제조간접비 예정배부액	배분비율	배분액
재 공 품(#103)	₩200,000	20%	₩40,000
제　　품(#102)	300,000	30	60,000
매출원가(#101)	500,000	50	100,000
계	₩1,000,000	100%	₩200,000

(차)	재 공 품	40,000	(대)	제 조 간 접 비	200,000
	제 품	60,000			
	매 출 원 가	100,000			

(2) 총원가 비례배분법

	총원가(기말잔액)	배분비율	배분액
재 공 품(#103)	₩500,000	25%	₩50,000
제　　품(#102)	600,000	30	60,000
매출원가(#101)	900,000	45	90,000
계	₩2,000,000	100%	₩200,000

(차)	재 공 품	50,000	(대)	제 조 간 접 비	200,000
	제 품	60,000			
	매 출 원 가	90,000			

(3) 매출원가조정법

(차)	매 출 원 가	200,000	(대)	제 조 간 접 비	200,000

(4) 기타손익법

(차)	기 타 비 용	200,000	(대)	제 조 간 접 비	200,000

단원별 객관식문제

01 ㈜해커의 5월 생산 및 원가자료는 다음과 같다.

과목	제조지시서 #1	제조지시서 #2
월초재공품	₩ 180,000	–
직접재료원가	950,000	₩ 380,000
직접노무원가	650,000	200,000
제조간접원가	220,000	100,000
계	₩ 2,000,000	₩ 680,000

월초제품재고액은 ₩ 400,000이고, 월말제품재고액은 ₩ 500,000이다. 그리고 제조지시서 #1은 완성되었으나, 제조지시서 #2는 완성되지 못하였다. 기능별포괄손익계산서에 계상될 매출원가는 얼마인가?

① ₩ 1,800,000
② ₩ 1,900,000
③ ₩ 2,000,000
④ ₩ 2,100,000

해설 정답 ②

월초제품재고액 ₩ 400,000 + 당월제품제조원가 ₩ 2,000,000(제조지시서 #1) - 월말제품재고액 ₩ 500,000 = ₩ 1,900,000

02 다음 원가계산 자료에서 제조지시서 #1과 #2는 완성되었으나 제조지시서 #3은 미완성이다. 재공품 계정의 월말 재고액은? (단, 제조간접원가는 직접재료원가에 근거하여 배부한다)

비용	제조지시서 #1	제조지시서 #2	제조지시서 #3	합계
직접재료원가	₩ 2,000	₩ 2,000	₩ 1,000	₩ 5,000
직접노무원가	5,000	6,000	2,500	13,500
제조간접원가	( )	( )	( )	9,000

① ₩ 1,800
② ₩ 5,300
③ ₩ 10,600
④ ₩ 11,600

해설 정답 ②

제조지시서 #3이 미완성이므로 월말재공품 재고액은 제조지시서 #3의 제조원가이다.
제조지시서 #3의 제조원가는 ₩ 1,000 + ₩ 2,500 + ₩ 1,800[*1] = ₩ 5,300
(*1) 제조간접원가 배부액: ₩ 9,000 × ₩ 1,000/₩ 5,000 = ₩ 1,800

03 ㈜해커는 주문에 의한 제품생산을 하고 있는 조선업체이다. 20×1년 중 자동차운반선(갑)과 LNG운반선(을)을 완성하여 주문자에게 인도하였고, 20×1년 말 미완성된 컨테이너선(병)이 있다. 갑, 을, 병 이외의 제품주문은 없었다고 가정한다. 다음은 20×1년의 실제 원가자료이다.

	갑	을	병	합계
기초재공품	₩300	₩400	₩100	₩800
직접재료원가	150	200	160	510
직접노무원가	60	80	40	180
직접노무시간	200시간	500시간	300시간	1,000시간

20×1년에 발생한 총제조간접원가는 ₩1,000이다. ㈜해커는 제조간접원가를 직접노무시간에 따라 배부한다고 할 때, ㈜해커의 20×1년 기말재공품원가는?

① ₩300
② ₩600
③ ₩800
④ ₩1,000

해설 정답 ②

(1) 제조간접원가 배부율: ₩1,000 ÷ 1,000시간 = ₩1/시간
(2) 제조간접원가 배부

	갑(제품)	을(제품)	병(재공품)	합계
기초재공품	₩300	₩400	₩100	₩800
직접재료원가	150	200	160	510
직접노무원가	60	80	40	180
제조간접원가	200(*1)	500(*2)	300(*3)	1,000
계	₩710	₩1,180	₩600	₩2,490

(*1) 200시간 × ₩1 = ₩200
(*2) 500시간 × ₩1 = ₩500
(*3) 300시간 × ₩1 = ₩300

04 다음의 개별원가계산 자료에 의한 당기총제조원가는?

- 직접재료원가는 ₩3,000이며 직접노동시간은 30시간이고 기계시간은 100시간이다.
- 직접노무원가의 임률은 직접노동시간당 ₩12이다.
- 회사는 기계시간을 기준으로 제조간접원가를 배부한다.
- 제조간접원가 배부율이 기계시간당 ₩11이다.

① ₩4,460　② ₩4,530
③ ₩4,600　④ ₩4,670

해설　정답 ①

직접재료원가	₩3,000
직접노무원가	360(*1)
제조간접원가	1,100(*2)
당기 총제조원가	₩4,460

(*1) 30시간 × ₩12 = ₩360
(*2) 100시간 × ₩11 = ₩1,100

05 다음 자료를 이용하여 제1제조부에 배부되는 동력부 부문원가를 직접배분법에 의해 계산하면?

- 부문원가 합계: ₩1,200,000
  - 제조부문: 제1제조부 = ₩500,000, 제2제조부 = ₩300,000
  - 보조부문: 동력부 = ₩240,000, 수선부 = ₩160,000
- 부문별 배부율

보조부문		동력부	수선부
부문별 배부율	제1제조부	30%	40%
	제2제조부	20	40
	동력부	−	20
	수선부	50	−

① ₩144,000　② ₩128,000
③ ₩72,000　④ ₩250,000

해설　정답 ①

	보조부문		제조부문	
	동력부	수선부	제1제조부	제2제조부
배분전원가	₩240,000	₩160,000	₩500,000	₩300,000
동력부	(240,000)		144,000(*1)	96,000
수선부		(160,000)	80,000	80,000
배분후원가	₩0	₩0	₩724,000	₩476,000

(*1) 동력부 부문원가 배부액: ₩240,000 × 30/50 = ₩144,000

06 휴대폰 부품을 생산하는 ㈜해커는 두 제조부문 (가), (나)와 두 보조부문 (A), (B)로 나누어 부문원가를 계산하고 있다. 단계배분법을 이용하여 보조부문원가를 배부할 때 두 제조부문에 최종적으로 집계되는 원가는? (단, 보조부문원가의 배부순서는 다른 보조부문에 제공한 서비스 제공비율이 큰 부문을 먼저 배부한다)

구분	(가) 제조부문	(나) 제조부문	(A) 보조부문	(B) 보조부문
1차집계원가	₩120,000	₩130,000	₩50,000	₩60,000
각 부문별서비스 제공비율				
(A) 보조부문	40%	40%	–	20%
(B) 보조부문	40%	30%	30%	–

	(가) 제조부문	(나) 제조부문
①	₩171,200	₩175,200
②	₩178,000	₩182,000
③	₩180,000	₩180,000
④	₩182,000	₩178,000

해설 정답 ②

(A) 보조부문은 (B) 보조부문에 20%, (B) 보조부문은 (A) 보조부문에 30%의 서비스를 제공하였으므로 (B) 보조부문을 먼저 배부한다.

구분	보조부문		제조부문	
	(A)	(B)	(가)	(나)
1차집계원가	₩50,000	₩60,000	₩120,000	₩130,000
(B)	30%	–	40%	30%
	₩18,000	(60,000)	₩24,000	₩18,000
(A)	–	20%	40%	40%
	(68,000)	–	₩34,000	₩34,000
계	₩0	₩0	₩178,000	₩182,000

07 보조부문인 수선부와 전력부에서 발생한 원가는 각각 ₩20,000과 ₩12,000이며, 수선부 원가에 이어 전력부 원가를 배부하는 단계배분법으로 제조부문인 A공정과 B공정에 배부한다. 보조부문이 제공한 용역이 다음과 같을 때, 보조부문의 원가 ₩32,000 중에서 A공정에 배부되는 금액은?

제공 \ 사용	수선부	전력부	A공정	B공정	합계
수선부	–	4,000	4,000	2,000	10,000시간
전력부	8,000	–	4,000	4,000	16,000kwh

① ₩13,000
② ₩14,000
③ ₩16,000
④ ₩18,000

해설 정답 ④

	수선부문	전력부문	A공정	B공정	합계
배분전원가	₩20,000	₩12,000			
수선부문	(20,000)	8,000	₩8,000	₩4,000	₩0
전력부문	-	(20,000)	10,000	10,000	0
배분후원가	₩0	₩0	₩18,000	₩14,000	₩32,000

08 보조부문원가 배부 방법에 대한 설명으로 옳지 않은 것은?

① 상호배분법은 연립방정식을 이용하여 보조부문 간의 용역제공비율을 정확하게 고려해서 배부하는 방법이다.
② 단계배분법은 보조부문원가의 배부순서를 적절하게 결정할 경우 직접배분법보다 정확하게 원가를 배부할 수 있다.
③ 단계배분법은 우선순위가 높은 보조부문의 원가를 우선순위가 낮은 보조부문에 먼저 배부하고, 배부를 끝낸 보조부문에는 다른 보조부문원가를 재배부하지 않는 방법이다.
④ 직접배분법은 보조부문 간의 용역수수관계를 정확하게 고려하면서 적용이 간편하다는 장점이 있어 실무에서 가장 많이 이용되는 방법이다.

해설 정답 ④

보조부문 간의 용역수수관계를 정확하게 고려하는 방법은 상호배분법이다.

09 ㈜해커는 보조부문인 동력부와 제조부문인 절단부, 조립부가 있다. 동력부는 절단부와 조립부에 전력을 공급하고 있으며, 각 제조부문의 월간 전력 최대사용가능량과 3월의 전력 실제사용량은 다음과 같다.

	절단부	조립부	합계
최대사용가능량	500kw	500kw	1,000kw
실 제 사 용 량	300	200	500

한편, 3월 중 각 부문에서 발생한 제조간접원가는 다음과 같다.

	동력부	절단부	조립부	합계
변동원가	₩50,000	₩80,000	₩70,000	₩200,000
고정원가	100,000	150,000	50,000	300,000
계	₩150,000	₩230,000	₩120,000	₩500,000

이중배분율법을 적용할 경우 절단부와 조립부에 배부될 동력부의 원가는?

	절단부	조립부
①	₩75,000	₩75,000
②	₩80,000	₩70,000
③	₩90,000	₩60,000
④	₩100,000	₩50,000

해설 정답 ②

이중배분율법은 보조부문원가를 제조부문에 배부 시 변동원가는 실제사용량을 기준으로, 고정원가는 최대사용가능량을 기준으로 배부한다.

	동력부	절단부	조립부	합계
변동원가	₩(50,000)[*1]	₩30,000	₩20,000	₩0
고정원가	(100,000)[*2]	50,000	50,000	0
		₩80,000	₩70,000	

(*1) 300kw: 200kw

(*2) 500kw: 500kw

10

㈜해커는 정상원가계산을 채택하고 있으며 20×1년의 원가자료는 다음과 같다.

제조간접원가 예산	₩ 260,000
정상조업도(직접노동시간)	100,000시간
제조간접원가 실제발생액	₩ 270,000
실제직접노동시간	105,000시간

20×1년의 제조간접원가 배부차이는?

① ₩ 2,250 과소배부
② ₩ 2,250 과대배부
③ ₩ 3,000 과소배부
④ ₩ 3,000 과대배부

해설 정답 ④

(1) 제조간접원가 예정배부율: ₩ 260,000 ÷ 100,000시간 = 직접노동시간당 ₩ 2.6
(2) 제조간접원가 예정배부액: 105,000시간 × ₩ 2.6 = ₩ 273,000
(3) 배부차이: ₩ 270,000 - ₩ 273,000 = ₩ 3,000(과대배부)

11

㈜해커는 개별원가계산제도를 사용하고 있으며 직접노무원가를 기준으로 제조간접원가를 예정배부하고 있다. 20×1년 6월의 제조원가 관련 정보가 다음과 같을 때, 과소 또는 과대 배부된 제조간접원가에 대한 수정분개로 옳은 것은? (단, 과소 또는 과대 배부된 금액은 매출원가로 조정한다)

- 직접노무원가와 제조간접원가에 대한 예산은 각각 ₩ 200,000과 ₩ 250,000이다.
- 직접재료원가 ₩ 520,000과 직접노무원가 ₩ 180,000이 발생되었다.
- 실제 발생한 총제조간접원가는 ₩ 233,000이다.

①	(차) 제조간접원가	8,000	(대) 매 출 원 가	8,000
②	(차) 매 출 원 가	8,000	(대) 제조간접원가	8,000
③	(차) 매 출 원 가	17,000	(대) 제조간접원가	17,000
④	(차) 제조간접원가	17,000	(대) 매 출 원 가	17,000

해설 정답 ②

(1) 제조간접원가 예정배부율: 직접노무원가의 125%(*1)
(*1) ₩ 250,000 ÷ ₩ 200,000 = 1.25
(2) 제조간접원가 예정배부율: ₩ 180,000 × 1.25 = ₩ 225,000
(3) 제조간접원가배부차이: ₩ 8,000(*2)(과소배부)
(*2) ₩ 233,000 - ₩ 225,000 = ₩ 8,000
(4) 회계처리

(차) 매 출 원 가	8,000	(대) 제조간접원가	8000

12

㈜해커는 정상원가계산을 적용하여 제조간접원가 배부차이 금액을 재공품, 제품, 매출원가의 조정 전 기말잔액의 크기에 비례하여 배분한다. 다음 자료를 이용하여 제조간접원가 배부차이 조정 전후 설명으로 옳지 않은 것은?

구분	조정 전 기말잔액
재공품	₩500,000
제품	₩300,000
매출원가	₩1,200,000
합계	₩2,000,000

- 실제발생 제조간접비: ₩1,000,000
- 예정배부된 제조간접비: ₩1,100,000
- 재공품과 제품의 기초재고는 없는 것으로 가정

① 조정 전 기말잔액에 제조간접원가가 과대배부 되었다.
② 제조간접원가 배부차이 금액 중 기말 재공품에 ₩25,000이 조정된다.
③ 제조간접원가 배부차이 조정 후 기말 제품은 ₩315,000이다.
④ 제조간접원가 배부차이 조정 후 매출원가 ₩60,000이 감소 된다.

해설 정답 ③

(1) 배부차이: ₩100,000(과대배부)
(2) 배부차이 조정 후 기말재고: ₩300,000 − ₩100,000 × 0.15 = ₩285,000

13

정상개별원가계산을 적용하는 ㈜해커는 제조간접원가를 예정배부하며, 예정배부율은 직접노무원가의 50%이다. 제조간접원가의 배부차이는 매기 말 매출원가에서 전액 조정한다. 당기에 실제 발생한 직접재료원가는 ₩24,000이며, 직접노무원가는 ₩16,000이다. 기초재공품은 ₩5,600이며, 기말재공품에는 직접재료원가 ₩1,200과 제조간접원가 배부액 ₩1,500이 포함되어 있다. 또한 기초제품은 ₩4,700이며 기말제품은 ₩8,000이다. 제조간접원가 배부차이를 조정한 매출원가가 ₩49,400이라면 당기에 발생한 실제 제조간접원가는?

① ₩8,000 ② ₩10,140
③ ₩12,800 ④ ₩13,140

해설 정답 ③

(1) 배부차이 조정전 매출원가

재공품

차변	금액	대변	금액
기초	5,600	당기제품제조원가	47,900
DM	24,000	기말	5,700[*2]
DL	16,000		
OH	8,000[*1]		
	53,600		53,600

제품

차변	금액	대변	금액
기초	4,700	매출원가	44,600
당기제품제조원가	47,900	기말	8,000
	52,600		52,600

(*1) ₩16,000 × 0.5 = ₩8,000
(*2) ₩1,200 + ₩3,000 + ₩1,500 = ₩5,700

(2) 배부차이: ₩49,400 − ₩44,600 = ₩4,800(과소배부)
(3) 실제 제조간접원가: ₩8,000 + ₩4,800 = ₩12,800

03 활동기준원가계산

1. 의의

(1) 활동기준원가계산이란 최근 제조환경에서 급격히 증가하고 있는 제조간접원가를 제품에 정확히 배부하고, 효율적으로 관리하기 위하여 활동을 중심으로 제조간접원가를 제품에 배부하려는 원가계산시스템을 말한다.

(2) 활동기준원가계산은 '활동은 자원을 소비하고, 제품은 활동을 소비한다'는 사고에 근거하여 제품원가를 보다 정확하게 계산하려는 원가계산시스템이며, 제조기업뿐만 아니라 서비스업체에서도 이용될 수 있다.

(3) 활동기준원가계산에서는 활동이 자원을 소비하므로 자원원가를 활동에 배부하는 단계와 제품이 활동을 소비하므로 활동에 집계된 원가를 제품에 배부하는 단계로 나누어 제조간접원가를 배부하게 된다.

(4) 제조과정을 여러 가지 활동으로 구분한 후, 활동별로 집계된 원가를 개별 제품에 배부하는 원가계산제도이다.

개별원가계산(전통적 방법)
제조과정을 각 기능(부문)별로 구분한 후 개별 제품에 배부하는 원가계산제도이다.

2. 전통적 원가계산의 문제점과 활동기준원가계산의 도입배경

(1) 전통적 원가계산의 문제점

① 전통적 원가계산에서는 일반적으로 직접노무시간, 직접노무원가, 기계시간 등을 이용해 제조간접원가를 배부한다.
  ㉠ 생산량이 많은 제품이 직접노무시간, 직접노무원가, 기계시간 등을 많이 소비한다.
  ㉡ 생산량이 많은 제품에 제조간접원가가 많이 배부된다.

② 제조간접원가에는 생산량에 비례하여 발생하지 않는 원가들도 많이 포함되어 있는데 이들 원가를 생산량과 관련된 배부기준을 사용하여 배부하게 되면 제품원가의 왜곡을 초래한다.

③ 과거에는 직접원가에 비해 제조간접원가의 비중이 많지 않았으므로 제조간접원가의 잘못된 배부로 인한 제품원가의 왜곡이 크지 않았으나 최근에는 제조간접원가가 급격히 증가하면서 전통적 방법으로 제조간접원가를 배부하게 되면 제품원가의 왜곡이 크게 나타나게 된다.

(2) 활동기준원가계산의 도입배경

① 과거에는 제조간접원가의 비중이 작았으므로 생산량과 관련된 배부기준을 이용하여 제조간접원가를 배부하더라도 원가왜곡현상이 크게 발생하지 않았으나, 최근에는 제조간접원가의 비중이 커지고 있어 생산량과 관련된 배부기준만으로 제조간접원가를 배부할 경우 원가왜곡현상이 크게 발생한다.

② 최근에는 소비자의 다양한 욕구를 충족시키기 위해서 소품종 대량생산체제에서 다품종 소량생산체제로 전환되고 있다. 많은 종류의 제품을 생산하면 제품에 직접추적하기 힘든 간접원가가 많아지고, 활동의 종류도 많아져서 다양한 배부기준을 이용해 제조간접원가를 배부할 필요성이 있다.

③ 전통적 원가계산에서는 제조원가를 이용한 제품원가계산에 중점을 두었지만 최근에는 연구개발, 설계, 마케팅, 유통, 고객서비스 등의 원가가 크게 증가하고 있으므로 이들 활동에 대한 원가정보도 필요하게 되었다.

④ 활동기준원가계산을 적용하기 위해서는 활동분석, 자원원가, 자원동인분석, 활동원가, 원가동인분석에 필요한 많은 정보를 수집해야 하는데, 정보수집기술의 발달로 이들 정보를 적은 비용으로 쉽게 수집할 수 있게 되었다.

3. 활동의 구분

(1) 활동

① 활동이란 기업의 목표를 달성하기 위해 계속적으로 수행되는 과업이다.

② 자원의 소비(원가)를 유발시키는 사건. 즉, 자원을 소비하여 가치를 창출하는 작업으로 제품설계활동, 재료처리활동, 작업준비활동, 품질검사활동 등을 예로 들 수 있다.

(2) 활동의 구분(원가계층)

비단위수준활동
제품 단위와는 무관하게 수행되는 활동이다.

① 단위수준활동: 제품 단위별로 수행되는 활동(예 조립활동, 기계작업활동 등)

② 묶음수준활동: 묶음 단위별로 수행되는 활동(예 구매주문활동, 작업준비활동, 표본검사활동 등)

③ 제품수준활동: 제품 종류별로 수행되는 활동 = 제품유지활동(예 제품설계활동, 설계변경활동 등)

④ 설비수준활동: 설비를 유지하고 관리하기 위한 활동 = 설비유지활동(예 공장관리활동, 조경활동 등)

4. 활동기준원가계산의 절차

제1단계	활동분석(공정가치분석)
제2단계	활동중심점의 설정 및 활동원가집계
제3단계	활동중심점별 원가동인의 선택
제4단계	활동중심점별 원가배부율의 계산 $\text{활동중심점별 원가배부율} = \dfrac{\text{활동중심점별 원가집계액}}{\Sigma\,\text{활동중심점별 원가동인}}$
제5단계	활동원가의 제품별 배부(각 제품이 소비한 활동원가동인을 측정하여 원가계산)

사례 — 예제

고급형과 보급형 두 가지의 스포츠자전거를 생산하는 ㈜해커의 생산 및 원가자료는 다음과 같다. 활동기준원가계산을 위해서는 다음의 자료를 이용한다. 활동기준원가계산에 의할 경우 고급형 스포츠자전거에 배부되는 제조간접원가는 얼마인가?

활동	원가동인	활동별 원가	제품별 원가동인수		
			고급형	보급형	합계
매입주문활동	주문횟수	₩9,000	10회	20회	30회
작업지시활동	지시횟수	₩36,000	60	120	180
품질검사활동	검사횟수	₩12,000	8	22	30
기계관련활동	기계시간	₩15,000	40시간	60시간	100시간
계		₩72,000			

해설

[1] 활동별 원가배부율

매입주문활동: ₩9,000 ÷ 30회 = ₩300/회
작업지시활동: ₩36,000 ÷ 180회 = ₩200/회
품질검사활동: ₩12,000 ÷ 30회 = ₩400/회
기계관련활동: ₩15,000 ÷ 100시간 = ₩150/시간

[2] 제조간접원가배부액

	고급형	
매입주문활동	10회 × ₩300 =	₩3,000
작업지시활동	60회 × ₩200 =	₩12,000
품질검사활동	8회 × ₩400 =	₩3,200
기계관련활동	40시간 × ₩150 =	₩6,000
계		₩24,200

5. 전통적 원가계산제도와 활동기준원가계산제도의 비교

(1) 전통적 원가계산에서는 제품을 생산하기 위하여 자원을 소비하므로 제품이 제조간접원가를 발생시킨다고 가정하지만, 활동기준원가계산에서는 활동이 자원을 소비하므로 활동이 제조간접원가를 발생시킨다고 가정한다.

(2) 전통적 원가계산에서는 제조간접원가 배부 시 생산량과 관련된 배부기준을 사용하지만, 활동기준원가계산에서는 작업준비횟수, 주문횟수, 검사시간 등과 같은 다양한 원가동인을 사용한다.

(3) 전통적 원가계산에서는 소수의 배부기준을 이용하여 제조간접원가를 배부하지만, 활동기준원가계산에서는 인과관계가 높은 다수의 원가동인을 이용하여 제조간접원가를 배부한다.

구분	전통적인 원가계산제도	활동기준원가계산제도
기본가정	제품이 자원을 소비함	제품이 활동을 소비하고 활동이 자원을 소비함
원가대상	부문, 제품	활동, 제품
배부기준	단위수준 성격의 재무적인 측정치	비단위수준 성격의 비재무적인 측정치

6. 활동기준원가계산의 효익과 한계

(1) 효익

① 전통적 원가계산에 비하여 정확한 원가계산이 가능하다.

② 신축적인 원가계산이 가능하다.

③ 공정가치분석을 통하여 부가가치활동과 비부가가치활동의 구분 및 비부가가치활동의 제거를 통해 원가절감이 가능하다.

④ 제품별 수익성 분석 등 전략적 의사결정 및 계획수립에 유용한 정보를 제공한다.

⑤ 원가를 유발시키는 활동을 관리함으로써 원가통제를 보다 효과적으로 수행할 수 있다.

(2) 한계

① 활동분석 및 측정비용이 과다하게 발생한다.

② 설비수준활동원가의 자의적인 배분이다.

③ 활동에 대한 명확한 기준이 없다.

(3) 활동기준원가계산의 효익이 큰 기업의 유형

① 제조간접원가 비중이 큰 경우

② 공정이 복잡하고 다양한 제품을 생산하는 경우

③ 제조공정의 급격한 변화 등으로 기존의 원가시스템을 신뢰할 수 없는 경우

④ 의사결정 시 기존의 원가자료를 신뢰할 수 없는 경우

단원별 객관식문제

01 ㈜해커는 가공원가에 대해 활동기준원가계산을 적용하고 있다. 회사의 생산활동, 활동별 배부기준, 가공원가 배부율은 다음과 같다.

생산활동	활동별 배부기준	가공원가 배부율	
기계작업	기계작업시간	기계작업시간당	₩10
조립작업	부품수	부품 1개당	₩6

당기에 완성된 제품은 총 100단위이고, 총직접재료원가는 ₩6,000이다. 제품 1단위를 생산하기 위해서는 4시간의 기계작업시간이 소요되고 5개 부품이 필요하다. 당기에 생산된 제품 100단위를 단위당 ₩200에 모두 판매가 가능하다고 할 때, 매출총이익은?

① ₩7,000
② ₩9,000
③ ₩11,000
④ ₩13,000

해설 정답 ①

₩20,000 - ₩6,000 - 4시간 × 100단위 × ₩10 - 5개 × 100단위 × ₩6 = ₩7,000

02 활동기준원가계산을 채택하고 있는 한국회사는 제품 A와 B를 생산하고 있다. 제품 A와 B의 연간 생산량은 각각 200단위와 300단위이다. 활동구분, 원가동인, 활동별원가, 활동사용에 대한 자료는 다음과 같다.

활동구분(원가동인)	활동별 원가	활동사용		
		제품 A	제품 B	합계
작업준비활동(작업준비횟수)	₩8,000	4회	4회	8회
절삭작업활동(기계작업시간)	₩10,000	1시간	4시간	5시간
품질검사활동(검사시간)	₩60,000	4시간	2시간	6시간

위의 자료에 기초하여 제품 A의 단위당 제조간접원가를 계산하면 얼마인가?

① ₩167
② ₩230
③ ₩332.27
④ ₩397

해설 정답 ②

작업준비활동비배부액: ₩8,000 × 4회/8회 =	₩4,000
절삭작업활동비배부액: ₩10,000 × 1시간/5시간 =	2,000
품질검사활동비배부액: ₩60,000 × 4시간/6시간 =	40,000
계	₩46,000

단위당 제조간접원가: ₩46,000 ÷ 200단위 = ₩230/단위

03 활동기준원가계산을 적용하는 ㈜해커는 다음과 같은 활동별 관련 자료를 입수하였다. 생산제품 중 하나인 제품 Z에 대해 당기 중에 발생한 기초원가는 ₩50,000, 생산준비횟수는 10회, 기계사용시간은 20시간, 검사수행횟수가 10회일 때 제품 Z의 총원가는?

활동	원가동인	최대활동량	총원가
생산준비	생산준비횟수	100회	₩100,000
기계사용	기계사용시간	300시간	₩600,000
품질검사	검사수행횟수	200회	₩80,000

① ₩54,000
② ₩90,000
③ ₩102,000
④ ₩104,000

해설 정답 ④

기초원가	₩50,000
생산준비비 배부액: ₩100,000 × 10회/100회 =	10,000
기계사용비 배부액: ₩600,000 × 20시간/300시간 =	40,000
품질검사비 배부액: ₩80,000 × 10회/200회 =	4,000
	₩104,000

04 ㈜해커는 제품 A와 B를 생산하고 있으며,최근 최고경영자는 활동기준원가계산제도의 도입을 검토하고 있다. 활동기준원가계산 관점에서 분석한 결과가 다음과 같을 때, 옳지 않은 것은?

활동	제조간접원가	원가동인	제품 A	제품 B
제품설계	₩400	부품 수	2개	2개
생산준비	₩600	준비횟수	1회	5회

① 제품설계활동의 원가동인은 부품 수, 생산준비활동의 원가동인은 준비횟수이다.
② 활동기준원가계산하에서 제품 A에 배부되는 제조간접원가는 ₩300, 제품 B에 배부되는 제조간접원가는 ₩700이다.
③ 만약 ㈜해커의 제품종류가 더 다양해지고 각 제품별 생산 수량이 줄어든다면 활동기준원가계산제도를 도입할 실익이 없다.
④ 기존의 제품별 원가와 이익수치가 비현실적이어서 원가계산의 왜곡이 의심되는 상황이면 활동기준원가계산제도의 도입을 적극 고려해볼 수 있다.

해설 정답 ③

	제품 A	제품 B
제품설계 ₩400(*1)	₩200	₩200
생산준비 ₩600(*2)	100	500
	₩300	₩700

(*1) ₩400 ÷ 4개 = ₩100/개
(*2) ₩600 ÷ 6회 = ₩100/회
활동기준원가계산은 다품종소량생산에 따라 개별제품들의 정확한 원가계산의 중요성 증가에 따라 개발되었다.

05 **활동기준원가계산(Activity Based Costing) 시스템은 조업도 기준 원가계산(Volume Based Costing) 시스템에 비하여 보다 정확한 제품원가를 제공할 수 있다. 다음 중에서 활동기준원가계산 시스템을 도입함에 따라서 그 효과를 크게 볼 수 있는 기업의 일반적 특성에 해당되지 않는 것은?**

① 생산과정에 거액의 간접원가가 발생하는 경우
② 제품, 고객 및 생산공정이 매우 복잡하고 다양한 경우
③ 제품의 제조와 마케팅 원가에 대해서 생산작업자와 회계담당자 사이에 심각한 견해차이가 있는 경우
④ 생산과 판매에 자신 있는 제품의 이익은 높고 생산과 판매에 자신 없는 제품의 이익이 낮은 경우

해설 정답 ④

개별제품의 수익성을 정확하게 알 수 없는 기업에서 활동기준원가계산 시스템의 효과가 크다.

06 **다음 중 활동기준원가계산 제도가 추구하는 목적이나 장점과 거리가 먼 것은?**

① 다양한 원가유발유인을 인식하여 적정한 가격결정에 이용한다.
② 직접재료원가 외에는 고정원가로 처리하고자 한다.
③ 정확한 제품원가를 계산할 수 있다.
④ 고정설비 투자비중의 증가에 따라 제조간접원가의 보다 정확한 배분을 기하고자 하는 데 목적이 있다.

해설 정답 ②

활동기준원가회계는 제조간접원가를 고정원가로 처리하고자 하는 것이 아니라 오히려 활동별로 파악하여 추적가능성을 제고시켜 변동원가처럼 파악하고자 하는 방법이다.

07 **다음 중 '활동원가계층구조(activity cost hierarchy) 분류 - 해당 원가의 예 - 원가동인(cost driver)'의 조합이 적절하지 않은 것은?**

① 단위수준 활동원가 - 기계동력원가 - 기계작동시간
② 뱃치(batch)수준 활동원가 - 전수(제품전량)검사원가 - 검사횟수
③ 제품유지 활동원가 - 제품설계원가 - 제품의 종류 수
④ 뱃치수준 활동원가 - 기계작업준비원가 - 준비횟수

해설 정답 ②

전수(제품전량) 검사원가는 제품생산량에 비례하므로 단위수준활동원가이다. 품질검사를 묶음당 표본을 추출하여 실행하는 경우에는 묶음(batch)수준활동원가가 된다.

04 종합원가계산

1 종합원가계산제도의 의의 및 방법

공정(process)
대량생산을 위해 표준화된 제조과정이다.

1. 의의

(1) 단일제품을 연속 · 대량으로 생산하는 경우 공정별로 제조원가를 집계하고 산출량을 확정한 후, 단위당 원가를 이용하여 그 공정을 통해 생산된 제품 및 재공품의 제조원가를 계산하는 원가계산제도이다.

(2) 종합원가계산은 정유업, 화학공업, 제지업, 반도체제조업 등 동종제품을 하나 또는 여러 개의 제조공정을 이용하여 연속적으로 대량생산하는 기업에서 사용하는 원가계산방법이다.

(3) 개별 작업별로 제조원가를 집계하여 제품원가를 계산하는 개별원가계산과는 달리 종합원가계산은 평균화의 원리를 이용하여 제품원가를 계산한다.

(4) 종합원가계산을 적용하는 기업들은 대부분 흐름생산의 형태로 제품을 생산하는데 흐름생산은 아래와 같은 생산형태를 갖는다.

(5) 흐름생산과 관련해서 두 가지 특징을 이해할 필요가 있다.
  ① 흐름생산에서는 일반적으로 여러 공정을 거쳐야 최종제품이 생산되므로 재공품계정도 여러 개를 설정하게 된다.
  ② 흐름생산에서는 실제 물량흐름이 선입선출의 형태로 일어난다.

(6) 개별원가계산에서는 개별 작업별로 작성된 작업원가표를 기초로 하여 원가계산을 하지만, 종합원가계산에서는 제조공정별로 제조원가보고서를 작성하여 원가계산을 한다.

표로 확인하기 | 개별원가계산과 종합원가계산의 비교

구분	개별원가계산	종합원가계산
생산형태	고가의 재고를 주문생산하는 기업	동종 제품을 대량생산하는 기업
원가집계	개별 작업별로 원가집계	제조공정별로 원가집계
원가계산 서류	작업별로 작성한 작업원가표	공정별로 작성한 제조원가보고서
재공품계정	보통 하나만 설정	제조공정별로 설정
원가구분	추적가능성 중시 – 제조직접원가와 제조간접원가	원가투입형태 중시 – (직접)재료원가와 가공원가
정확성	상대적으로 정확성이 높음	상대적으로 정확성이 낮음
핵심사항	제조간접원가 배부	완성품환산량 계산
관리노력 및 비용	관리노력 및 비용이 큼	관리노력 및 비용이 작음

2. 완성품환산량

(1) 완성품환산량이란 일정기간에 투입한 원가를 그 기간에 완성품만을 생산하는 데 투입했더라면 완성되었을 완성품수량으로 나타낸 수치를 말한다.

(2) 제조공정에서 수행한 작업량을 완성품을 기준으로 변형시킨 가상적인 수치가 완성품환산량이다. 따라서 완성품환산량은 물량에다가 완성도를 곱하여 계산한다.

> 완성품환산량 = 수량(물량) × 완성도
> (단, 완성도는 물리적 진척도가 아니라 원가투입정도를 의미함)

(3) 일반적으로 완성품환산량은 재료원가와 가공원가로 구분하여 각각 계산한다. 그 이유는 재료원가와 가공원가의 원가투입형태에 대한 가정이 다르기 때문이다.

(4) 일반적으로 재료는 공정의 초기에 전량 투입되고 가공원가는 전공정에 걸쳐 균등하게 투입된다. 따라서 대부분의 경우 재공품의 재료원가 완성도는 100%가 되고, 가공원가 완성도는 물리적 진척도와 일치한다.

2 종합원가계산의 절차(5단계)

1. 종합원가계산의 5단계절차법

종합원가계산에서는 생산자료와 원가자료를 요약한 제조원가보고서를 제조공정별로 작성하여 완성품원가와 기말재공품원가를 계산한다. 제조원가보고서는 다음의 5단계로 작성한다.

(1) 1단계 - 수량(물량)과 완성도 파악

재공품계정을 그려서 수량과 완성도를 정리한다.

(2) 2단계 - 원가요소별 완성품환산량 계산

수량과 완성도를 곱하여 완성품환산량을 계산한다.

① 완성품환산량은 원가를 투입형태별로 구분하여 계산하는데 보통 재료원가와 가공원가로 구분하여 계산한다. 왜냐하면 투입형태가 달라지면 완성도가 달라져 결과적으로 완성품환산량이 달라지기 때문이다.

② 만약 문제에서 재료원가와 가공원가의 투입형태가 같다고 제시한다면 재료원가와 가공원가를 구분하여 계산할 필요가 없다. 재료원가와 가공원가의 투입형태가 같다면 완성도와 완성품환산량 역시 같을 것이기 때문이다.

③ 반면에 문제에서 투입형태가 다른 여러 가지의 재료원가를 제시한다면 각 재료별로 완성품환산량을 각각 계산하여야 한다.

(3) 3단계 - 원가요소별 배부대상원가 요약

(4) 4단계 - 원가요소별 완성품환산량 단위당 원가 계산

(5) 5단계 - (4) 4단계의 결과를 이용해 완성품원가와 기말재공품원가 계산

$$\frac{\text{원가} \leftarrow [\text{3단계}]}{\text{완성품환산량} \leftarrow [\text{2단계}]} = [\text{4단계}]\ \text{완성품환산량 단위당 원가}$$

↑

[1단계] 수량 × 완성도 파악

종합원가계산의 원가계산절차

2. 선입선출법

선입선출법은 먼저 제조 착수된 것이 먼저 완성된다고 가정한다. 선입선출법은 아래와 같은 특징을 갖는다.

(1) 흐름생산의 경우 실제 물량흐름이 선입선출로 일어나므로 선입선출법은 실제 물량흐름에 충실한 원가흐름의 가정이다.

(2) 기초재공품은 당기에 가장 먼저 완성품이 되어 빠져 나간다.

① **기초재공품원가**: 완성품원가로 대체

② 당기투입원가: 완성품원가와 기말재공품원가로 구분하여 대체 → 제조원가보고서 작성대상

(3) 당기투입분으로만 제조원가보고서를 작성하므로 제조원가보고서가 순수한 당기의 수량과 원가로만 구성된다. 결국 선입선출법에 의한 제조원가보고서는 순수한 당기의 성과를 나타내므로 통제 및 성과평가에 적합하다.

완성품은 기초재공품을 완성한 것과 당기투입(착수)분을 완성한 것으로 나눌 수 있는데 당기에 착수하여 완성한 것을 당기착수완성품이라 부른다.

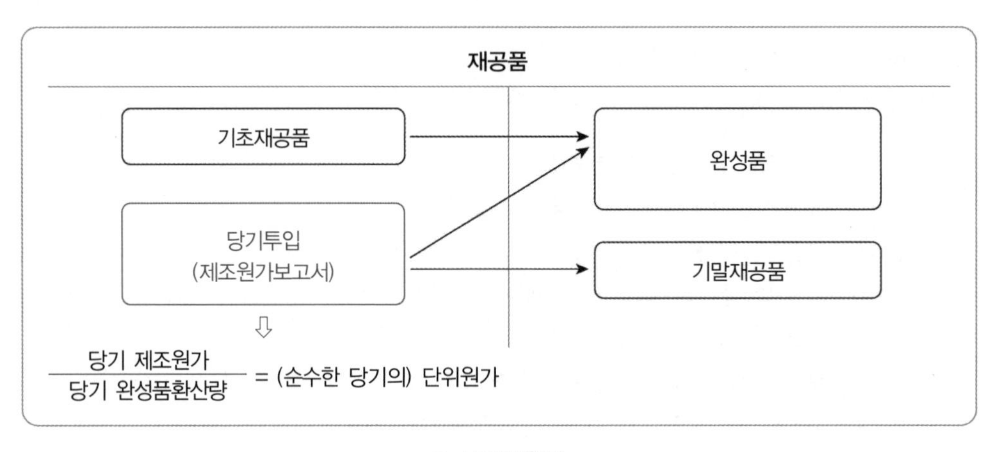

선입선출법

3. 평균법

평균법은 기초재공품원가와 당기투입원가를 구분하지 않고 가중평균된 단위원가를 산출하여 원가계산을 하는 방법이다. 평균법은 아래와 같은 특징을 갖는다.

(1) 평균법은 기초재공품원가와 당기투입원가를 구분하지 않고 가중평균된 원가를 산출하여 완성품원가와 기말재공품원가를 구한다.

(기초재공품원가 + 당기투입원가) → 제조원가보고서 작성대상

(2) 기초재공품원가는 전기에 투입한 원가로 당기투입원가와는 구분하여 계산해야 한다. 그런데 평균법은 기초재공품원가를 당기투입원가와 구분하지 않기 위해 전기에 이미 착수된 기초재공품의 기완성도를 무시하고 기초재공품을 당기에 착수한 것처럼 가정한다. 따라서 평균법 하에서는 기초재공품원가도 마치 당기투입원가처럼 가정하게 되므로 기초재공품원가와 당기투입원가를 구분하지 않고 가중평균된 원가를 산출한다.

(3) 기초재공품원가와 당기투입원가를 가중평균하여 원가를 산출하므로 평균법은 순수한 당기의 원가를 계산하지 않는다. 따라서 평균법에 의한 제조원가보고서는 통제 및 성과평가 목적으로 적절하지 않다.

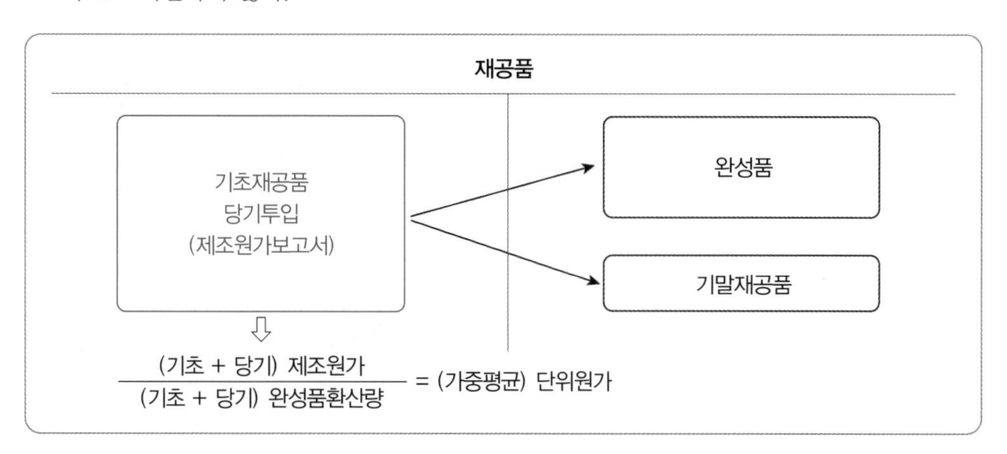

⊙ 평균법

4. 선입선출법과 평균법의 비교

(1) 흐름생산을 가정할 경우, 일반적으로 먼저 제조 착수된 것이 먼저 완성되므로 선입선출법이 실제 물량흐름에 더 충실한 방법이고, 선입선출법에 의한 완성품환산량 단위당 원가가 평균법에 비해 계획과 통제에 유용한 정보를 제공한다.

(2) 평균법은 기초재공품의 기완성도를 무시하고 기초재공품도 마치 당기에 착수한 것처럼 가정하므로, 기초재공품원가와 당기투입원가를 구분할 필요가 없어 적용이 간편한 방법이다.

(3) 선입선출법과 평균법하에서 제조원가보고서를 작성하는 절차는 동일하지만 두 방법은 다음과 같은 점에서 차이가 있다.

[선입선출법의 제조원가보고서]	[평균법의 제조원가보고서]
$\frac{\text{당기 제조원가}}{\text{당기 완성품환산량}}$	$\frac{\text{(기초 + 당기) 제조원가}}{\text{(기초 + 당기) 완성품환산량}}$
= (순수한 당기의)단위원가	= (가중평균)단위원가

⇩

기초재공품을 제조원가보고서에 포함하는지에서 차이가 발생

⇩

기초재공품이 존재하지 않는다면 두 방법의 계산결과가 같음

선입선출법과 평균법의 비교

5. 연속되는 제조공정

(1) 후속공정부터는 전공정원가를 고려하여 후속공정의 완성품과 기말재공품의 원가를 계산한다.

(2) **전공정원가**

① 후속공정으로 투입되는 전 공정의 완성품원가이다.

② 전공정원가에 대한 완성품환산량은 일반적으로 공정 초기에 전량 투입되는 원재료로 계산한다.

사례 — 예제

다음은 해커회사의 A공정에 대한 20×1년 제품제조 활동내역이다.

	물량흐름(개)	재료원가 A	가공원가
기초재공품(30%)	100개	₩4,000	₩580
당 기 투 입	400	20,000	15,400
계	500	₩24,000	₩15,980
당 기 완 성	450		
기말재공품(40%)	50		
계	500개		

신촌회사는 단일제품을 대량으로 생산하고 있으며 원재료는 공정초기에 모두 투입하고, 가공원가는 공정전반에 걸쳐 균등하게 발생한다. 선입선출법과 가중평균법을 이용하여 완성품원가를 계산하면 얼마인가?

해설

[1] 선입선출법

	[1단계]	[2단계] 완성품환산량	
	물량흐름	재료원가 A	가공원가
완 성 품			
기초재공품	100개	0개	70개
당기착수	350	350	350
기말재공품	50(40%)	50	20
계	500개	400개	440개

[3단계] 총원가의 요약			합계
기초재공품원가			₩4,580
당기발생원가	₩20,000	₩15,400	35,400
계			₩39,980

[4단계] 환산량 단위당 원가		
완성품환산량	÷400개	÷440개
환산량 단위당 원가	₩50	₩35

[5단계] 원가의 배분		
완성품원가	₩4,580 + 350개 × ₩50 + 420개 × ₩35 =	₩36,780
기말재공품원가	50개 × ₩50 + 20개 × ₩35 =	3,200
계		₩39,980

[2] 가중평균법

	[1단계]	[2단계] 완성품환산량	
	물량흐름	재료원가 A	가공원가
완 성 품	450	450개	450개
기말재공품	50(40%)	50	20
계	500개	500개	470개

[3단계] 총원가의 요약			합계
기초재공품원가	₩4,000	₩580	₩4,580
당기발생원가	20,000	15,400	35,400
계	₩24,000	₩15,980	₩39,980

[4단계] 환산량 단위당 원가		
완성품환산량	÷500개	÷470개
환산량 단위당 원가	₩48	₩34

[5단계] 원가의 배분

완성품원가	450개 × ₩48 + 450개 × ₩34 =	₩36,900
기말재공품원가	50개 × ₩48 + 20개 × ₩34 =	3,080
계		₩39,980

3 공손

1. 공손(품)의 개념

(1) 공손(품)이란 정상품에 비하여 품질이 미달되는 불합격품으로 흔히 말하는 불량품을 의미한다. 공손은 정상공손과 비정상공손으로 구분해야 하는데 정상공손과 비정상공손은 회계처리 방법에 차이가 있다.

(2) 정상공손은 정상품을 생산하기 위하여 어쩔 수 없이 발생하는 계획된 공손으로서 매 기간마다 거의 일정한 비율로 발생되기 때문에 예측 가능하다. 정상공손은 정상품 생산을 위한 불가피한 지출이므로 원가성이 있는 공손이다. 따라서 정상공손원가는 정상품원가(완성품 및 기말재공품)에 가산한다.

(3) 비정상공손은 능률적인 생산조건하에서는 발생하지 않을 것으로 예상되는 공손으로서 생산과정에서 정상적으로 예측할 수 없다. 비정상공손은 당기의 비효율로 인해 발생한 공손이므로 원가성을 인정할 수 없다. 따라서 비정상공손원가는 발생된 기간에 손실로 처리한다.

(4) **정상공손과 비정상공손**

재공품

차변	대변
기초재공품	완성품원가
당기총제조원가	
직접재료원가	공손 < 정상공손원가
직접노무원가	공손 < 비정상공손원가
제조간접원가	기말재공품

2. 정상공손수량과 비정상공손수량 파악

(1) 정상공손과 비정상공손은 회계처리 방법이 다르므로 반드시 구분해야 하는데, 정상공손과 비정상공손을 구분할 때는 정상공손허용률을 이용해 정상공손수량을 먼저 계산하고 이를 초과한 수량은 비정상공손으로 간주한다.

① 공손수량파악 → 정상공손수량 파악(정상공손허용률 이용) → 비정상공손수량 파악

② 정상공손수량 = 당기 중 검사를 통과한 정상품 × 정상공손허용률

③ 당기 중 검사를 통과한 정상품 = 총산출량 - 공손수량 - 기합격수량 - 검사미도래수량

(2) 정상공손수량은 원가흐름가정과 관계없이 동일한 값이 계산된다. 즉, 선입선출법 또는 평균법 중 어떤 원가흐름가정을 하더라도 정상공손수량은 변하지 않는다.

(3) 종합원가계산에서는 먼저 재공품계정의 수량과 당기투입원가를 파악한 후에, 차변에 집계된 당기투입원가를 재공품계정 대변의 완성품원가와 기말재공품원가 등으로 배부하게 된다. 원가흐름의 가정은 이 원가배부과정에서 필요한 것이다.

(4) 정상공손수량 등을 파악하는 것은 원가흐름을 가정하고 원가를 배부하는 절차보다 더 먼저 수행하는 것이므로 원가흐름가정과 관계없이 정상공손수량은 언제나 동일한 값이 계산된다.

단원별 객관식문제

01 종합원가계산을 실시하는 ㈜해커는 원재료를 공정 개시시점에서 전량 투입하고, 가공원가는 전공정을 통해 균일하게 발생한다. ㈜해커가 재공품의 평가방법으로 평균법과 선입선출법을 사용할 경우, 다음 자료를 이용하여 가공원가의 당기 완성품환산량을 계산하면?

기초재공품수량	200개 (완성도: 40%)
착 수 량	3,500개
완 성 품 수 량	3,200개
기말재공품수량	500개 (완성도: 50%)

	평균법	선입선출법
①	3,450개	3,330개
②	3,450개	3,370개
③	3,700개	3,450개
④	3,700개	3,750개

해설 정답 ②

재공품(완성품환산량) - 평균법

차변		대변		
기초재공품	0개	완 성 품	3,200	3,200개
당기착수	3,700	기말재공품(50%)	500 × 0.5 =	250
	3,700개			3,450개

재공품(완성품환산량) - 선입선출법

차변		대변		
기초재공품(40%)	200개	기초완성분(60%)	200 × 0.6 =	120개
당기착수	3,500	당기착수완성분	3,000	3,000
		기말재공품(50%)	500 × 0.5 =	250
	3,700개			3,370개

02 다음 종합원가계산 자료에 의하여 재료원가와 가공원가의 완성품환산량(당월작업분)을 각각 구하면? (단, 재공품 평가는 선입선출법에 의한다)

당월착수수량	70,000개	당월완성량	60,000개
월초재공품수량	10,000개(완성도: 재료원가 80%, 가공원가 40%)		
월말재공품수량	20,000개(완성도: 재료원가 50%, 가공원가 20%)		

	재료비	가공비
①	50,000개	56,000개
②	58,000개	54,000개
③	62,000개	60,000개
④	78,000개	68,000개

해설 정답 ③

물량흐름(선입선출법) / 완성품환산량

				재료비	가공비
기 초(80%, 40%)	10,000	기초완성(20%,60%)	10,000	2,000	6,000
당월착수	70,000	당월착수완성	50,000	50,000	50,000
		기 말(50%, 20%)	20,000	10,000	4,000
	80,000개		80,000개	62,000	60,000

03 ㈜해커는 종합원가계산을 사용하며 선입선출법을 적용한다. 제품은 제1공정을 거쳐 제2공정에서 최종 완성되며, 제2공정 관련 자료는 다음과 같다.

구분	물량단위(개)	가공비완성도
기초재공품	500	30%
전공정대체량	5,500	
당기완성량	?	
기말재공품	200	30%

제2공정에서 직접재료가 가공비완성도 50% 시점에서 투입된다면, 직접재료비와 가공비 당기작업량의 완성품환산량은? (단, 가공비는 공정 전반에 걸쳐서 균일하게 발생하며, 제조공정의 공손 · 감손은 없다)

	직접재료비 완성품환산량(개)	가공비 완성품환산량(개)
①	5,300	5,300
②	5,800	5,650
③	5,800	5,710
④	5,800	5,800

해설 정답 ③

재공품(선입선출법) / 완성품환산량

				재료원가	가공원가
기초	500(0)(0.3)	완성	5,800	5,800	5,650
투입	5,500	기말	200(0)(0.3)	–	60
				5,800	5,710

04 ㈜해커는 20×1년 10월 1일 현재 완성도가 60%인 월초재공품 8,000개를 보유하고 있다. 직접재료원가는 공정 초기에 투입되고, 가공원가는 전 공정을 통해 균등하게 투입된다. 10월 중에 34,000개가 생산에 착수되었고, 36,000개가 완성되었다. 10월 말 현재 월말재공품은 완성도가 80%인 6,000개이다. 10월의 완성품환산량 단위당 원가를 계산할 때 가중평균법에 의한 완성품환산량이 선입선출법에 의한 완성품환산량보다 더 많은 개수는?

	직접재료원가	가공원가
①	0개	3,200개
②	0개	4,800개
③	8,000개	3,200개
④	8,000개	4,800개

해설 정답 ④

(1) 직접재료원가 완성품환산량 차이: 8,000개 × 100% = 8,000개
(2) 가공원가 완성품환산량 차이: 8,000개 × 60% = 4,800개

05 ㈜해커는 종합원가계산제도를 이용하여 제품원가를 계산하고 있다. 다음 자료를 이용하여 계산한 기말재공품원가는? (단, 평균법을 적용하고, 재료는 제조 착수시 전부 투입되며 가공원가는 공정 진행에 비례하여 발생한다고 가정한다)

	수량	직접재료원가	가공비	제조원가합계
기초재공품	60개(완성도 50%)	₩2,000	₩1,000	₩3,000
당기완성품	160개	₩8,000 (당기투입)	₩3,500 (당기투입)	₩11,500
기말재공품	40개(완성도 50%)			

① ₩2,000　② ₩2,500
③ ₩3,000　④ ₩14,500

해설 정답 ②

재공품(평균법)

기초재공품	60개	완성품	160개
당기착수	140	기말재공품(50%)	40
	200개		200개

완성품환산량

재료비	가공비
160	160
40	20
200	180

(1) 재료비: ₩50 × 40 = ₩2,000
(2) 가공비: ₩25 × 20 = ₩500
(3) 기말재공품원가: ₩2,000 + ₩500 = ₩2,500

06

㈜해커는 제조원가 계산 시에 기말재공품 평가는 선입선출법을 적용하고 있다. 그리고 생산과정에서 재료는 제조 착수 시점에 전량 투입되고, 가공원가는 공정진행에 따라 평균적으로 발생한다. 다음의 원가자료를 이용하여 당기제품제조원가를 계산하면?

	재료원가	가공원가	수량	
기초재공품원가 및 수량	₩5,000	₩4,000	80개(완성도 50%)	80개(완성도 50%)
당기제조원가	₩16,000	₩27,000		
기말재공품 수량			40개(완성도 50%)	40개(완성도 50%)
완성품수량			200개	200개

① ₩36,000
② ₩43,000
③ ₩45,000
④ ₩52,000

해설 정답 ③

재공품선입선출법

기초(50%)	80개	기초완성(50%)	80개
당월착수	200	당월착수완성	120
		기 말(50%)	40
	280개		280개

완성품환산량

재료비	가공비
-	40
120	120
40	20
160	180

(1) 재료원가 완성품환산량 단위당 원가: ₩16,000/160 = ₩100
(2) 가공원가 완성품환산량 단위당 원가:₩27,000/180 = ₩150
(3) 당기제품제조원가: ₩5,000 + ₩4,000 + (120단위 × ₩100) + (160단위 × ₩150) = ₩45,000

07

가중평균법을 이용하여 종합원가계산을 수행하는 회사에서 기말재공품 완성도를 실제보다 과대평가할 경우 과대평가 오류가 완성품환산량, 완성품환산량 단위당 원가, 당기완성품원가 그리고 기말재공품원가에 각각 어떠한 영향을 미치겠는가?

	완성품환산량	완성품환산량 단위당 원가	당기완성품원가	기말재공품원가
①	과대평가	과소평가	과소평가	과대평가
②	과소평가	과대평가	과소평가	과소평가
③	과대평가	과소평가	과대평가	과대평가
④	과소평가	과대평가	과대평가	과소평가

해설 정답 ①

기말재공품의 완성도가 실제보다 과대평가되면 완성품환산량이 증가하게 되고, 완성품환산량이 증가하게 되면 투입된 원가는 일정하므로 완성품환산량 단위당 원가가 과소평가된다. 한편 완성품의 완성품환산량은 변화가 없으므로 완성품환산량 단위당 원가의 감소로 인하여 완성품의 원가는 과소평가되고 상대적으로 기말재공품의 원가는 과대평가된다.

08 종합원가계산에서 완성품환산량 산출 시 선입선출법이나 평균법 어느 것을 적용하든지 완성품환산량의 단위당 원가가 동일한 경우는?

① 기초재고가 전혀 없는 경우
② 표준원가계산 방법을 사용하는 경우
③ 기말재고가 전혀 없는 경우
④ 기초재고와 기말재고의 완성도가 50%로 동일한 경우

해설 정답 ①

기초재고가 전혀 없는 경우에는 선입선출법이나 평균법 어느 것을 적용하든지 완성품환산량 단위당 원가는 항상 동일하다.

09 종합원가계산에 대한 설명으로 옳은 것은?

① 평균법은 기초재공품의 제조가 당기 이전에 착수되었음에도 불구하고 당기에 착수된 것으로 가정한다.
② 선입선출법 또는 평균법을 사용할 수 있으며, 평균법이 실제 물량흐름에 보다 충실한 원가흐름이다.
③ 평균법은 기초재공품원가와 당기발생원가를 구분하지 않기 때문에 선입선출법보다 원가계산이 정확하다는 장점이 있다.
④ 선입선출법은 당기투입분을 우선적으로 가정하여 완성시킨 후 기초재공품을 완성한다고 가정한다.

해설 정답 ①

선지분석

② 선입선출법이 실제 물량흐름에 보다 충실한 원가흐름이다.
③ 실제 물량흐름에 충실한 방법인 선입선출법의 원가계산 결과가 더욱 합리적이다.
④ 선입선출법은 기초재공품이 먼저 완성되고 당기 투입분 중 일부는 완성품, 나머지는 기말재공품이 된다고 가정하는 방법이다.

10 해커회사는 단일제품을 대량으로 생산하고 있다. 원재료는 공정의 초기에 모두 투입되고 가공원가는 공정 전반에 걸쳐 균등하게 발생한다. 원가계산에 대한 자료는 다음과 같다.

기초재공품:	수 량	500개	당기완성량		4,000개
	완 성 도	30%	공손수량		300개
당기착수량		4,500개	기말재공품:	수 량	700개
				완 성 도	70%

품질검사를 합격한 수량의 5%에 해당하는 공손수량은 정상공손으로 간주한다. 검사가 공정의 10%, 50%, 100% 완성시점에 각각 이루어진다고 가정할 경우 정상공손수량으로 맞는 것은?

	검사시점		
	10%	50%	100%
①	210개	200개	235개
②	200개	235개	210개
③	210개	235개	200개
④	210개	200개	235개

해설 정답 ③

합격수량 = 총산출량 - 공손수량 - 기합격수량 - 검사미도래수량

검사시점	정상공손수량
10%	(5,000개 - 300개 - 500개) × 5% = 210개
50%	(5,000개 - 300개) × 5% = 235개
100%	(5,000개 - 300개 - 700개) × 5% = 200개

11 ㈜해커는 하나의 공정에서 단일 제품을 생산하며 선입선출법을 적용하여 완성품환산량을 계산한다. 직접재료 중 1/2은 공정 초에 투입되고 나머지는 가공이 50% 진행된 시점부터 공정의 종점까지 공정 진행에 따라 비례적으로 투입된다. 가공원가는 공정 전반에 걸쳐 균등하게 투입된다. 검사는 공정의 60% 시점에서 실시되며 일단 검사를 통과한 제품에 대해서는 더 이상 공손이 발생하지 않는 것으로 가정한다. 정상공손은 검사통과수량의 10%로 잡고 있다. 3월의 수량 관련 자료가 다음과 같을 때, 비정상공손수량 직접재료원가의 완성품환산량은?

	수량(개)	가공원가완성도(%)
기초재공품	2,800	30
완성량	10,000	
공손량	2,000	
기말재공품	3,000	70

① 420개
② 430개
③ 440개
④ 450개

해설 정답 ①

(1) 정상공손수량: (15,000개 - 2,000개) × 0.1 = 1,300개
(2) 비정상공손수량: 2,000개 - 1,300개 = 700개
(3) 비정상공손수량의 직접재료원가 완성품환산량: 700개 × 0.6 = 420개

12 ㈜해커는 선입선출법에 의한 종합원가계산을 채택하고 있으며, 당기의 생산 관련 자료는 다음과 같다.

	물량(개)	가공원가 완성도
기초재공품	1,000	(완성도 30%)
당기착수량	4,300	
당기완성량	4,300	
공 손 품	300	
기말재공품	700	(완성도 50%)

원재료는 공정 초기에 전량 투입되며, 가공원가는 공정 전반에 걸쳐 균등하게 발생한다. 품질검사는 가공원가 완성도 40% 시점에서 이루어지며, 당기 검사를 통과한 정상품의 5%에 해당하는 공손수량은 정상공손으로 간주한다. 당기의 비정상공손수량은?

① 50개
② 85개
③ 215개
④ 250개

해설 정답 ①

(1) 정상공손수량: (1,000단위 + 4,300단위 - 300단위) × 5% = 250단위
(2) 비정상공손수량: 300단위 - 250단위 = 50단위

13 ㈜해커는 종합원가계산방법을 적용하고 있다. 직접재료는 공정초기에 전량 투입되며, 전환원가는 공정 전반에 걸쳐서 균등하게 발생한다. 당기 완성품환산량 단위당 원가는 직접재료원가 ₩60, 전환원가 ₩40이었다. 공정의 50% 시점에서 품질검사를 수행하며, 검사에 합격한 전체수량의 10%를 정상공손으로 처리하고 있다. ㈜해커의 물량흐름 자료가 다음과 같을 때, 정상공손원가는?

기초재공품	1,000개(완성도 30%)	당기완성량	2,600개
당기착수량	3,000개	공손수량	500개
		기말재공품	900개(완성도 60%)

① ₩17,500　　② ₩20,800
③ ₩28,000　　④ ₩35,000

해설 정답 ③

(1) 정상공손수량: (1,000단위 + 3,000단위 − 500단위) × 10% = 350단위
(2) 정상공손원가: 350단위 × ₩60 + 350단위 × 50% × ₩40 = ₩28,000

05 결합원가계산

1 결합원가의 계산

1. 의의

(1) 동일한 원재료가 동일한 제조공정에 투입되어 동시에 두 종류 이상의 서로 다른 제품들이 생산될 때 이 제품들을 결합제품이라고 부른다.

(2) 예를 들어, 정유산업의 경우 원유라는 단일의 원재료가 동일한 제조공정을 거쳐 휘발유, 등유, 경유, 윤활유 등의 제품으로 가공되는데 이 제품들이 결합제품이다.

(3) 연산품은 동일한 원재료로부터 생산되는 서로 다른 2종 이상의 제품(결합제품)을 말한다.

2. 연산품의 원가결정

연산품원가 = 결합원가배분액 + 개별원가(추가완성원가)

3. 용어정리

(1) 연산품(주산물)

결합제품 중 상대적으로 판매가치가 비교적 큰 제품으로 기업의 주요 재고자산이다. 연산품(주산물)과 부산물은 회계처리 방법이 상이하므로 반드시 둘을 구분해야 한다.

(2) 부산물

연산품의 제조과정에서 부수적으로 생산되는 제품으로서 연산품에 비하여 판매가치가 상대적으로 작은 제품을 말한다.

(3) 작업폐물

투입된 원재료로부터 발생하는 찌꺼기나 조각을 말하며, 부산물에 비하여 판매가치가 더 작은 생산물을 뜻하지만 부산물의 회계처리와 그 방법이 다르지 않으므로 수험목적상으로 구분할 필요는 없다.

(4) 분리점

연산품과 부산물 등 결합제품을 개별적인 제품으로 식별할 수 있게 되는 제조과정 중의 한 지점을 말한다.

(5) **결합원가**

결합제품을 생산하기 위하여 분리점까지 발생된 모든 제조원가를 말한다. 여러 제품의 생산에 공통적으로 발생되기 때문에 추적가능성이 없지만 재무보고목적을 위해 결합제품에 배분되어야 한다. 결합원가의 배분은 4절 '결합원가계산'에서 다루는 주요 주제이다.

(6) **추가가공원가(개별원가)**

분리점에서 개별제품으로 분리된 이후 최종제품으로 만드는 과정에서 투입되는 원가를 말한다. 개별제품에 추적가능하므로 각 제품으로 원가를 직접 추적한다.

4. 특징

(1) 결합원가는 여러 제품의 생산에 공통적으로 발생하는 원가이므로 결합원가를 특정 제품에 직접 추적하기가 쉽지 않다는 점에서 제조간접원가 배부와 유사하다.

(2) 제조간접원가는 각 제품별 직접노무시간이나 기계시간 등을 파악하여 배부기준으로 사용할 수 있지만, 결합제품은 동일 공정에서 같은 직접노무시간과 기계시간을 이용하여 생산되므로 개별제품별로 직접노무시간이나 기계시간을 파악할 수 없는 문제점이 있다. 따라서 결합원가는 제조간접원가에 비해 정확한 배부가 훨씬 어렵다고 할 수 있다.

(3) 결합원가를 배부할 때는 공정흐름도를 작성하여 문제를 해결하는 것이 바람직하다.

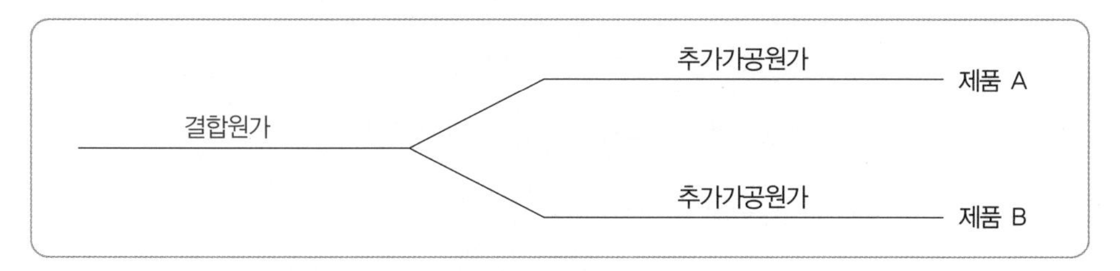

공정흐름도

2 결합원가의 배분방법

1. 물량기준법

(1) 물량기준법이란 연산품에 공통되는 물리적 특성인 중량, 수량, 면적, 크기, 부피 등을 기준으로 결합원가를 배분하는 방법이다.

사례 — 예제

㈜해커는 알로에를 가공하여 비누원액과 화장품원액을 생산한 후, 추가가공을 거쳐 비누와 화장품을 생산하고 있다. 당월에 알로에 1,000kg을 투입(분리점까지 발생원가 ₩180,000)하여 비누원액 400L와 화장품원액 500L를 얻었다. 비누원액은 추가원가 ₩40,000으로 비누 400개로, 화장품원액은 추가원가 ₩60,000으로 화장품 600개로 만들어졌다. 물량기준법에 의해 비누와 화장품의 단위당 제조원가를 계산하시오.

해설

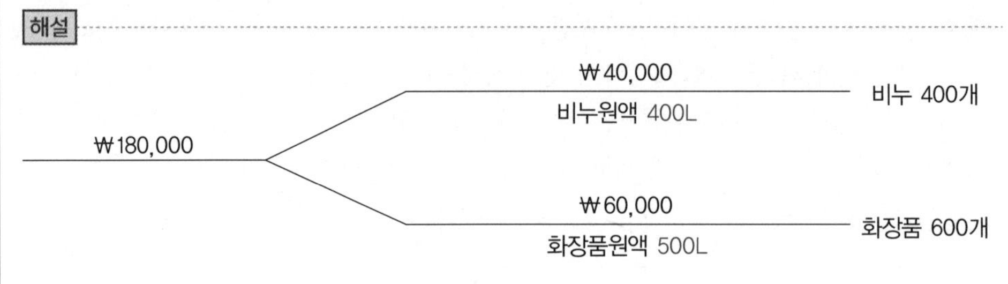

물량기준법

[1] 비누원액의 결합원가배분액: $₩180,000 \times \frac{400}{900} = ₩80,000$

[2] 화장품원액의 결합원가배분액: $₩180,000 \times \frac{500}{900} = ₩100,000$

[3] 비누의 단위당 제조원가: (₩80,000 + ₩40,000) ÷ 400개 = ₩300

[4] 화장품의 단위당 제조원가: (₩100,000 + ₩60,000) ÷ 600개 = ₩267

(2) 위 사례에서 보는 것처럼 물량기준법이란 연산품의 물리적 특성을 기준으로 결합원가를 배분하는 방법이다. 주의할 점은 결합원가를 투입해서 생산한 것은 비누원액과 화장품원액이므로, 비누원액과 화장품원액의 물량인 400L와 500L를 기준으로 결합원가를 배분해야 한다는 점이다.

(3) 최종 생산품인 비누 400개와 화장품 600개를 기준으로 결합원가를 배분하는 실수를 할 수 있는데, 최종 생산품은 결합원가뿐만 아니라 추가가공원가까지 투입한 결과이므로 최종생산품을 배분기준으로 사용하는 것은 적절하지 않다.

2. 분리점에서의 판매가치법

(1) 분리점에서의 판매가치법이란 연산품의 분리점에서의 상대적 판매가치를 기준으로 결합원가를 배분하는 방법이다.

(2) 결합원가는 판매하는 과정이 아닌 생산하는 과정에서 발생하는 원가이므로 분리점에서의 판매가치를 계산할 때에는 판매량이 아닌 생산량을 이용해야 한다.

사례 —

㈜해커는 알로에를 가공하여 비누원액과 화장품원액을 생산한 후, 추가가공을 거쳐 비누와 화장품을 생산하고 있다. 당월에 알로에 1,000kg을 투입(분리점까지 발생원가 ₩180,000)하여 비누원액 400L와 화장품원액 500L를 얻었다. 비누원액은 추가원가 ₩40,000으로 비누 400개로, 화장품원액은 추가원가 ₩60,000으로 화장품 600개로 만들어졌다. 비누원액의 판매가격은 ₩250, 화장품원액의 판매가격은 ₩400이라고 할 때, 분리점에서의 판매가치법을 이용해서 비누와 화장품의 단위당 제조원가를 계산하시오.

해설

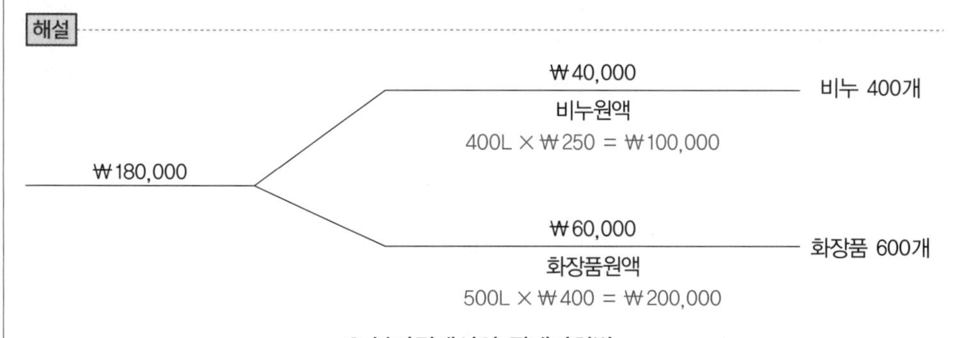

분리점에서의 판매가치법

[1] 비누원액의 결합원가배분액: $₩180,000 \times \frac{100}{300} = ₩60,000$

[2] 화장품원액의 결합원가배분액: $₩180,000 \times \frac{200}{300} = ₩120,000$

[3] 비누의 단위당 제조원가: (₩60,000 + ₩40,000) ÷ 400개 = ₩250

[4] 화장품의 단위당 제조원가: (₩120,000 + ₩60,000) ÷ 600개 = ₩300

(3) 앞의 사례에서 보는 것처럼 분리점에서의 판매가치법이란 분리점에서의 연산품 간 상대적 판매가치를 기준으로 결합원가를 배분하는 방법이다. 분리점에서의 판매가치법은 판매가치를 기준으로 원가를 배분하므로 수익과 비용을 적절히 대응시킬 수 있다.

3. 순실현가치법

(1) 분리점에서의 판매가치를 알 수 없는 경우에는 원가배분을 위해 분리점에서의 판매가치를 대신할 수 있는 기준이 필요한데 그것이 순실현가치이다. 결국 분리점에서의 판매가치를 알 수 있는 경우에는 분리점에서의 판매가치법으로, 알 수 없는 경우에는 순실현가치법으로 원가를 배분하는 것이 적절하다.

(2) 분리점에서의 순실현가치는 다음과 같이 계산한다.

> 분리점에서의 순실현가치 = 최종판매가액 − 추가원가 − 판매비

사례 — 예제

㈜해커는 알로에를 가공하여 비누원액과 화장품원액을 생산한 후, 추가가공을 거쳐 비누와 화장품을 생산하고 있다. 당월에 알로에 1,000kg을 투입(분리점까지 발생원가 ₩180,000)하여 비누원액 400L와 화장품원액 500L를 얻었다. 비누원액은 추가원가 ₩40,000으로 비누 400개로, 화장품원액은 추가원가 ₩60,000으로 화장품 600개로 만들어졌다. 비누의 판매가격은 ₩300, 화장품의 판매가격은 ₩500이라고 할 때, 순실현가치법을 이용해서 비누와 화장품의 단위당 제조원가를 계산하시오.

해설

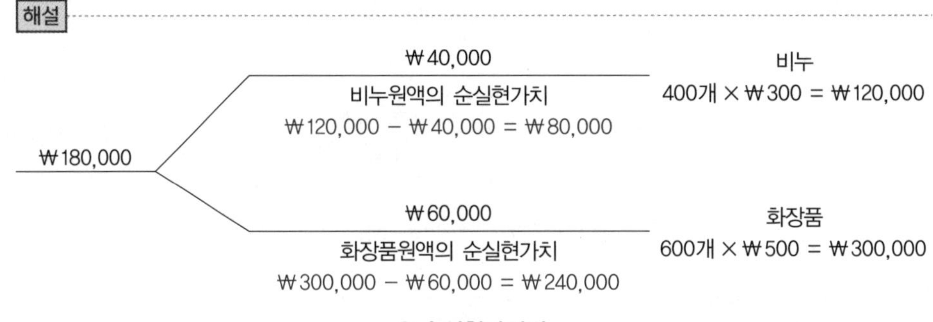

⊙ 순실현가치법

[1] 비누원액의 결합원가배분액: $₩180,000 \times \frac{80}{320} = ₩45,000$

[2] 화장품원액의 결합원가배분액: $₩180,000 \times \frac{240}{320} = ₩135,000$

[3] 비누의 단위당 제조원가: (₩45,000 + ₩40,000) ÷ 400개 = ₩212.5

[4] 화장품의 단위당 제조원가: (₩135,000 + ₩60,000) ÷ 600개 = ₩325

4. 균등이익률법

(1) 균등이익률법은 동일한 제조과정에서 생산된 개별제품의 매출총이익률(매출원가율)은 같아야 한다는 관점에서 개별제품의 매출총이익률(매출원가율)이 같아지도록 결합원가를 배분하는 방법이다.

(2) 균등이익률법을 적용할 경우에는 먼저 기업전체의 매출원가율을 구한 후, 각 제품의 매출원가율이 기업전체의 매출원가율과 같아지도록 원가를 배분하면 된다.

사례 — 예제

㈜해커는 알로에를 가공하여 비누원액과 화장품원액을 생산한 후, 추가가공을 거쳐 비누와 화장품을 생산하고 있다. 당월에 알로에 1,000kg을 투입(분리점까지 발생원가 ₩180,000)하여 비누원액 400L와 화장품원액 500L를 얻었다. 비누원액은 추가원가 ₩40,000으로 비누 400개로, 화장품원액은 추가원가 ₩60,000으로 화장품 600개로 만들어졌다. 비누의 판매가격은 ₩300, 화장품의 판매가격은 ₩500이라고 할 때, 균등이익률법에 의해 각 제품에 결합원가를 배분하시오.

해설

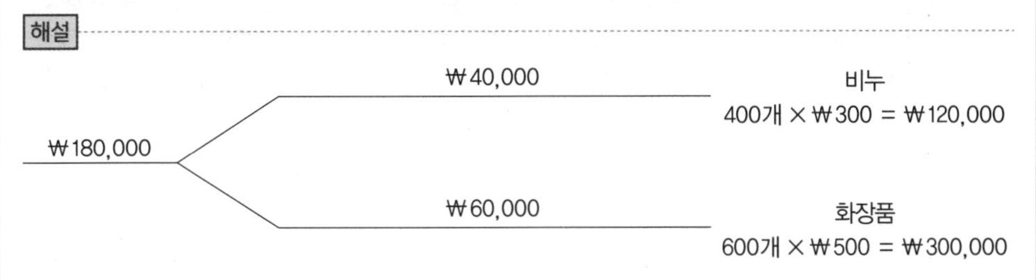

균등이익률법

[1] 기업 전체의 매출원가율:

$$(₩180,000 + ₩40,000 + ₩60,000) \div (₩120,000 + ₩300,000) = \frac{2}{3}$$

[2] 비누의 총제조원가: $₩120,000 \times \frac{2}{3} = ₩80,000$

[3] 화장품의 총제조원가: $₩300,000 \times \frac{2}{3} = ₩200,000$

[4] 비누의 결합원가배분액: ₩80,000 − ₩40,000 = ₩40,000

[5] 화장품의 결합원가배분액: ₩200,000 − ₩60,000 = ₩140,000

5. 각 방법의 비교

(1) 지금까지 물량기준법, 분리점에서의 판매가치법, 순실현가치법, 균등이익률법에 의한 결합원가 배분을 살펴보았다. 주의할 점은 어떤 방법에 의해 결합원가를 배분하더라도 위 사례에서 기업전체의 매출총이익은 ₩140,000으로 일정하다는 점이다.

(2) 결합원가 배분방법의 선택에 따라 개별제품의 매출총이익은 영향을 받지만 기업 전체의 매출총이익은 영향을 받지 않는다.

(3) 결합원가배분은 기업 내에서 발생한 원가를 어떤 제품에 얼마만큼 배부할 것인지에 대한 문제일 뿐, 기업 외부와의 거래가 아니므로 기업 전체의 이익에는 영향을 미치지 않는 것이다.

사례 — 예제

㈜해커는 A제품과 B제품으로 구성된 두 개의 연산품을 생산하고 있다. 4월의 결합원가는 ₩300,000이다. 4월에 분리점 이후 제품을 판매가능한 형태로 전환하는데 필요한 가공원가가 A제품은 월생산량 1,000개에 대하여 ₩200,000이고 B제품은 1,200개에 대하여 ₩240,000이다. A제품과 B제품의 단위당 판매가격은 각각 ₩600과 ₩700이다. 순실현가능가치를 기준으로 결합원가를 배분한다면 4월의 결합원가 중 B제품에 배분될 금액은 얼마인가?

해설

[1] 결합흐름도

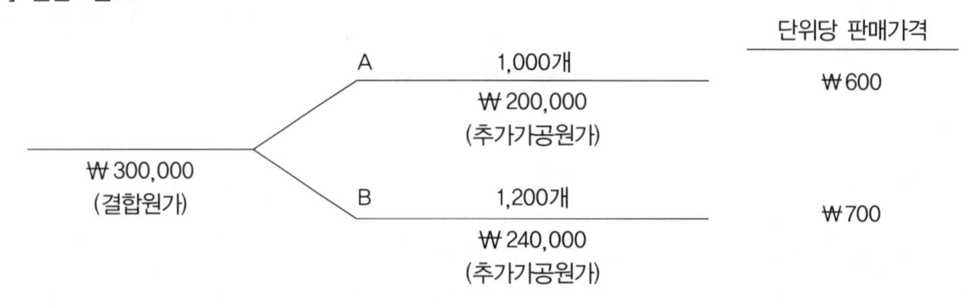

[2] 순실현가능가치(NRV)의 계산과 결합원가의 배분

제품	순실현가능가치(NRV)		배분비율	결합원가 배분액
A	1,000개 × ₩600 − ₩200,000 =	₩400,000	40%	₩120,000
B	1,200개 × ₩700 − ₩240,000 =	600,000	60	180,000[*1]
계		₩1,000,000	100%	₩300,000

(*1) ₩300,000 × 60% = ₩180,000

3 부산물의 회계처리

연산품에 비하여 판매가치가 상대적으로 작은 것을 부산물, 부산물보다 판매가치가 더 작은 것을 작업폐물이라고 하는데 부산물과 작업폐물은 연산품의 제조과정에서 부수적으로 생산되며 연산품에 비하여 판매가치가 현저히 낮기 때문에 연산품과 동일한 방법으로 원가계산을 할 수는 없다. 부산물의 회계처리는 여러 가지 방법이 있으나, 아래의 두 가지 방법이 일반적으로 가장 많이 사용된다.

1. 생산기준법(생산시점에서 부산물을 순실현가치로 평가하는 방법)

(1) 생산기준법은 부산물이 생산되는 시점에서 부산물을 순실현가치로 평가하여 자산으로 계상하고, 최초 결합원가에서 부산물의 순실현가치를 차감한 금액을 연산품에 배부하는 방법이다.

(2) 이 방법을 사용하게 되면 결합원가 중 일부가 부산물에 배부되며, 부산물의 총제조원가는 결합원가배분액과 추가가공원가의 합으로 이루어진다. 또한 부산물의 판매손익은 인식되지 않는다.

생산기준법 적용 시 부산물의 순실현가능가치만큼 결합원가를 부산물에 먼저 배분하고 나머지 결합원가를 주산물에 배분한다.

2. 판매기준법(판매시점에서 부산물의 판매이익을 인식하는 방법)

(1) 판매기준법은 부산물에 결합원가를 배분하지 않고 부산물의 판매시점에서 판매이익을 계상하거나 판매이익에 해당하는 금액을 매출원가에서 차감하는 방법이다.

(2) 이 방법을 사용하게 되면 결합원가는 모두 연산품에만 배부되며, 부산물의 총제조원가는 추가가공원가로만 이루어진다. 또한 부산물의 판매이익이 인식되거나 판매이익에 해당하는 금액이 매출원가에서 차감된다.

표로 확인하기 | 생산기준법과 판매기준법의 비교

구분	생산시점	판매시점
생산기준법(원가차감법)	부산물에 순실현가능가치만큼 결합원가를 배분함	부산물과 상계처리
판매기준법(기타수익법 및 매출원가차감법)	부산물에 결합원가를 배분하지 않음	기타수익 또는 매출원가 차감

3. 연산품과 특수의사결정

분리점에서 판매시장이 존재할 경우 연산품은 즉시 판매할 수도 있으며 추가가공하여 판매할 수도 있다.

(1) 의사결정 시 고려할 사항

① 분리점에서의 판매가격과 추가가공원가

② 추가가공 후의 판매가격

(2) 의사결정 시 제외사항

결합원가는 이미 발생된 원가이기 때문에 의사결정 시 고려할 필요가 없다.

(3) 의사결정

추가가공에 따른 판매가치의 차액(추가가공 후 판매가치 - 분리점에서의 판매가치)과 추가가공원가를 비교하여 추가가공 여부에 대한 의사결정을 한다.

단원별 객관식문제

05 결합원가계산

01 ㈜해커는 연산품 A, B를 생산하고 있다. 20×9년 3월 연산품 생산에서 발생한 결합원가는 ₩100,000이고, 각 연산품의 생산량, 판매가격, 분리점 이후의 단위당 분리원가와 관련된 자료는 다음과 같다. 순실현가능가치를 기준으로 결합원가를 배분할 경우 각 연산품의 단위당 원가를 계산하면?

연산품	생산량	단위당 판매가격	단위당 분리원가
A	30개	₩3,000	₩1,000
B	20개	₩5,000	₩3,000

	연산품 A	연산품 B
①	₩3,000	₩5,000
②	₩2,000	₩4,000
③	₩2,000	₩5,000
④	₩3,000	₩4,000

해설 정답 ①

(1) 제품별 결합원가 배분액

구분	제품별 NRV		배분비율	결합원가배분액
A	(₩3,000 - ₩1,000) × 30개 =	₩60,000	60%	₩100,000 × 60% = ₩60,000
B	(₩5,000 - ₩3,000) × 20개 =	40,000	40	₩100,000 × 40% = ₩40,000
계		₩100,000	100%	

(2) 제품별 원가 = 결합원가배분액 + 분리원가(추가가공원가)
- ㉠ 연산품 A: (₩60,000 ÷ 30개) + ₩1,000 = ₩3,000
- ㉡ 연산품 B: (₩40,000 ÷ 20개) + ₩3,000 = ₩5,000

02 20×1년에 설립된 ㈜해커는 제1공정에서 원재료 1,000kg을 가공하여 중간제품 A와 제품 B를 생산한다. 제품 B는 분리점에서 즉시 판매될 수 있으나, 중간제품 A는 분리점에서 판매가치가 형성되어 있지 않기 때문에 제2공정에서 추가 가공하여 제품 C로 판매한다. 제품별 생산 및 판매량과 kg당 판매가격은 다음과 같다.

제품	생산 및 판매량	kg당 판매가격
중간제품 A	600kg	–
제품 B	400kg	₩500
제품 C	600kg	₩450

제1공정에서 발생한 결합원가는 ₩1,200,000이었고, 중간제품 A를 제품 C로 가공하는데 추가된 원가는 ₩170,000이었다. 회사가 결합원가를 순실현가치에 비례하여 제품에 배부하는 경우, 제품 B와 제품 C의 총제조원가는?

	제품 B	제품 C
①	₩400,000	₩800,000
②	₩400,000	₩970,000
③	₩570,000	₩800,000
④	₩800,000	₩570,000

해설 정답 ④

구분	제품별 NRV		배분비율	결합원가배분액	
B	400개 × ₩500 =	₩200,000	2/3	₩1,200,000 × 2/3 =	₩800,000
C	600개 × ₩450 - ₩170,000 =	100,000	1/3	₩1,200,000 × 1/3 =	400,000
계		₩300,000			₩1,200,000

(1) 제품 B 제조원가: 결합원가배분액(₩800,000) + 추가가공원가(₩0) = ₩800,000
(2) 제품 C 제조원가: 결합원가배분액(₩400,000) + 추가가공원가(₩170,000) = ₩570,000

03 ㈜해커는 단일의 공정을 거쳐 A, B 두 종류의 결합제품을 생산하고 있으며, 사업 첫 해인 당기에 발생한 결합원가는 ₩200이다. 다음의 자료를 이용하여 결합원가를 균등이익률법으로 배부할 경우 제품 A와 B에 배부될 결합원가로 옳은 것은?

	추가가공 후 최종가치(매출액)	추가가공원가
제품 A	₩100	₩50
제품 B	₩300	₩50

	제품 A	제품 B
①	₩25	₩175
②	₩50	₩150
③	₩150	₩50
④	₩175	₩25

해설 정답 ①

(1) ㈜해커의 매출총이익률
   ㉠ ㈜해커의 매출원가: ₩200 + ₩50 + ₩50 = ₩300
   ㉡ ㈜해커의 매출총이익: (₩100 + ₩300) - ₩300 = ₩100
   ㉢ ㈜해커의 매출총이익률: ₩100 ÷ ₩400 = 25%
(2) 회사 전체 매출총이익률 = 각 제품의 매출총이익률
   ㉠ 제품 A의 매출총이익률: {₩100 - (제품 A의 결합원가배부액 + ₩50)} ÷ ₩100 = 25% ∴ 제품 A의 결합원가배부액 = ₩25
   ㉡ 제품 B의 매출총이익률: {₩300 - (제품 B의 결합원가배부액 + ₩50)} ÷ ₩300 = 25% ∴ 제품 B의 결합원가배부액 = ₩175

04 ㈜해커는 단일 재료를 이용하여 세 가지 제품 A · B · C와 부산물 X를 생산하고 있으며, 결합원가계산을 적용하고 있다. 제품 A와 B는 분리점에서 즉시 판매되나, 제품 C는 분리점에서 시장이 존재하지 않아 추가가공을 거친 후 판매된다. ㈜세무의 20×1년 생산 및 판매관련 자료는 다음과 같다.

구분	생산량	판매량	최종 판매가격
A	100ℓ	50ℓ	₩10
B	200ℓ	100ℓ	₩10
C	200ℓ	50ℓ	₩10
X	50ℓ	30ℓ	₩3

20×1년 동안 결합원가는 ₩2,100이고, 제품 C의 추가가공원가는 총 ₩1,000이다. 부산물 X의 단위당 판매비는 ₩1이며, 부산물 평가는 생산기준법(순실현가치법)을 적용한다. 순실현가치법으로 결합원가를 배부할 때 제품 C의 기말재고자산 금액은? (단, 기초재고와 기말재공품은 없다)

① ₩850
② ₩1,050
③ ₩1,125
④ ₩1,250

해설 정답 ③

(1) 부산물의 순실현가능가치: 50ℓ × (₩3 - ₩1) = ₩100

(2) 분리점에서의 연산품의 순실현가능가치

NRV_A = 100ℓ × ₩10 =	₩1,000(25%)
NRV_B = 200ℓ × ₩10 =	2,000(50%)
NRV_C = 200ℓ × ₩10 - ₩1,000 =	1,000(25%)
계	₩4,000(100%)

(3) 제품 C의 단위당 원가: {₩2,000 × 0.25(결합원가 배분액) + ₩1,000(추가가공원가)} ÷ 200ℓ = ₩7.5/ℓ

(4) 제품 C의 기말재고자산 금액: ₩7.5 × 150ℓ = ₩1,125

05 ㈜해커는 균등이익률법을 적용하여 결합원가계산을 하고 있다. 당기에 결합 제품A와 B를 생산하였고, 균등매출총이익률은 30%이다. 관련 자료가 다음과 같을 때 결합제품A에 배부되는 결합원가는? (단, 재공품 재고는 없다)

제품	생산량	판매가격(단위당)	추가가공원가(총액)
A	300단위	₩30	₩2,100
B	320단위	₩25	₩3,200

① ₩2,400
② ₩3,200
③ ₩3,800
④ ₩4,200

해설 정답 ④

(300 × ₩30 - ₩2,100 - X) / 300 × ₩30 = 0.3

∴ X = ₩4,200

06 해커상사는 A, B, C의 세 가지 결합제품을 생산하고 있으며, 결합원가는 분리점에서의 상대적 판매가치에 의해 배분된다. 관련 자료는 다음과 같다.

	A	B	C	합계
결합원가	?	₩40,000	?	₩200,000
분리점에서의 판매가치	₩160,000	?	?	₩400,000
추가가공원가	₩6,000	₩4,000	₩10,000	
추가가공 후 판매가치	₩170,000	?	₩180,000	₩434,000

만약 A, B, C 중 하나만을 추가가공한다면 어느 제품을 추가가공하는 것이 가장 유리하며, 이때 추가가공으로 인한 이익은 얼마인가?

① A, ₩4,000
② B, ₩6,000
③ B, ₩14,000
④ C, ₩10,000

해설 정답 ④

(1) 분리점에서의 상대적 판매가치: 결합원가를 상대적 판매가치로 배분하는데 결합원가의 20%가 제품 B에 배분되므로 제품 B의 상대적 판매가치가 전체 판매가치의 20%라는 것을 알 수 있다.
 ㉠ 제품 B의 분리점에서의 판매가치: ₩400,000 × 20% = ₩80,000
 ㉡ 제품 C의 분리점에서의 판매가치: ₩400,000 - (₩160,000 + ₩80,000) = ₩160,000

(2) 추가가공하는 경우의 증분이익

		A	B	C
Ⅰ. 증분수익				
증가	추가가공 후 판매가격	₩170,000	₩84,000	₩180,000
감소	분리점의 판매가격	160,000	80,000	160,000
		₩10,000	₩4,000	₩20,000
Ⅱ. 증분비용				
증가	추가가공원가	6,000	4,000	10,000
Ⅲ. 증분이익		₩4,000	₩0	₩10,000

07 ㈜해커는 결합원가 ₩420,000을 투입하여 연산품 X, Y, Z를 생산한다. 연산품 X와 Z는 추가 가공하여 판매하고 있다. 결합원가 배부방법은 순실현가치법이며, 당기에 생산된 수량은 모두 당기에 판매된다.

제품	생산수량	매출액	개별원가(추가 가공원가)
X	10,000개	₩250,000	₩100,000
Y	15,000개	₩200,000	-
Z	20,000개	₩300,000	₩150,000

㈜해커는 Y제품을 추가 가공하면 Y제품의 매출액은 ₩550,000이 될 것으로 판단하고 있다. 이 경우에 추가 가공원가가 최대 얼마 미만일 때, Y제품을 추가 가공하는 것이 더 유리한가?

① ₩300,000 ② ₩350,000
③ ₩400,000 ④ ₩450,000

해설 정답 ②

Y제품 추가 가공하는 경우 - 추가 가공하지 않은 경우: ₩550,000 - ₩200,000 = ₩350,000
따라서, 추가 가공원가가 최대 ₩350,000 미만이라면 추가 가공하는 것이 유리하다.

06 표준원가계산

1. 의의

직접재료원가, 직접노무원가, 변동제조간접원가, 고정제조간접원가의 모든 원가요소에 대하여 사전에 정해 놓은 표준원가로 측정하는 사전원가계산제도이다.

표준원가
회사가 현재의 제조과정을 가장 효율적으로 수행한 경우에 발생할 것으로 기대되는 제조원가이다.

2. 유용성

(1) 실제원가를 집계하기 이전에도 제품원가를 계산할 수 있으므로 제품원가계산이 빠르고 단순해진다.

(2) 표준원가는 기업의 예산편성에 유용하게 활용된다.

(3) 표준원가는 정상적이고 효율적인 상황에서 발생할 것으로 예상되는 원가이므로, 기말에 발생한 실제원가와 비교하게 되면 통제와 성과평가에 유용한 정보를 제공하게 된다.

주의
공무원 회계학 시험에서는 표준원가의 유용성 중 2.의 (3)과 관련한 내용을 주로 다룬다.

3. 표준원가의 설정

(1) 표준직접재료원가

제품단위당 표준직접재료원가는 정상적이고 효율적인 상황에서 제품 한 단위당 투입될 것으로 예상되는 직접재료 표준수량에 직접재료 표준구입가격을 곱하여 계산된다.

제품단위당 표준직접재료원가 = 직접재료 표준수량 × 직접재료단위당 표준구입가격

(2) 표준직접노무원가

제품단위당 표준직접노무원가는 정상적이고 효율적인 상황에서 제품 한 단위당 투입될 것으로 예상되는 표준직접노동시간에 직접노동시간당 표준임률을 곱하여 계산된다.

제품단위당 표준직접노무원가 = 표준직접노동시간 × 직접노동시간당 표준임률

(3) 표준변동제조간접원가

① 변동제조간접원가에는 간접재료원가, 전력비, 수선비 등 많은 원가들이 포함되어 있으므로 직접재료원가나 직접노무원가처럼 제품단위당 표준 투입량을 일일이 파악해서 표준원가를 개별적으로 설정한다는 것이 불가능하다.

② 따라서 표준변동제조간접원가는 변동제조간접원가의 발생을 논리적으로 잘 설명할 수 있는 배부기준을 결정하고, 배부기준단위당 변동제조간접원가 표준배부율을 설정하는 방법으로 표준원가를 결정하게 된다.

제품단위당 표준변동제조간접원가 = 표준배부기준수 × 배부기준단위당 표준배부율

임차료 등 고정원가의 예산을 편성할 때는 매월 혹은 매년 지급하는 총액을 예산으로 설정한다. 임차료 등의 예산을 단위당으로 설정하지 않는다.

(4) 표준고정제조간접원가

① 고정제조간접원가는 조업도수준에 관계없이 총액이 일정한 원가이므로 예산을 설정할 때 총액으로 설정하게 되고 통제 및 성과평가에도 총액을 이용하게 된다.

② 그러나 표준원가를 이용하여 제품원가계산을 할 때는 고정제조간접원가 총액을 이용할 수 없다. 예를 들어, 회사가 생산하는 제품의 단위당 표준원가가 얼마인가를 결정할 때 고정제조간접원가 총액을 이용하는 것은 불가능하다.

③ 따라서 기중 회계처리를 위해 고정제조간접원가는 총액 예산뿐만 아니라 단위당 표준배부율도 필요하다. 결과적으로 고정제조간접원가는 통제 및 성과평가 목적으로는 총액 예산을 이용하고 회계처리 목적으로는 단위당 표준배부율을 이용한다.

④ 고정제조간접원가 표준배부율은 고정제조간접원가 총액 예산을 기준조업도로 나누어 설정할 수 있다.

주의

기준조업도에는 연간예산조업도, 정상조업도, 실제적 최대조업도, 이론적 최대조업도가 있으나 이에 대한 내용은 공무원 회계학 시험 범위를 벗어나는 것이므로 자세한 설명은 생략한다.

- 고정제조간접원가 표준배부율 = 고정제조간접원가예산 ÷ 기준조업도
- 제품단위당 표준고정제조간접원가 = 표준배부기준수 × 배부기준단위당 표준배부율

표로 확인하기 | 표준고정제조간접원가

목적	이용하는 원가	적용 사례
통제 · 성과평가 목적	고정제조간접원가 총액 예산 이용	고정제조간접원가 예산 ₩100,000 고정제조간접원가 실제발생액 ₩110,000 ⇨ ₩10,000(불리)
회계처리 목적	고정제조간접원가 표준배부율 이용	회계처리에 필요한 제품단위당 표준원가 DM ₩100, DL ₩60, VOH ₩40 FOH ₩100(₩100,000 ÷ 1,000단위) ⇨ 제품단위당 표준원가 ₩300 : 회계처리에 이용

⑤ 앞의 내용들을 종합해 표준원가를 설정한 사례는 아래와 같다.

구분	단위당 표준수량	요소단위당 표준가격	단위당 표준원가
직접재료원가	$20m^2$	₩4/m^2	₩80
직접노무원가	4시간	₩40/시간	₩160
변동제조간접원가	4시간	₩15/시간	₩60
고정제조간접원가	4시간	₩7/시간	₩28[*1]
합계	-	-	₩328

(*1) 고정제조간접원가 표준배부율 혹은 제품단위당 표준고정제조간접원가는 제품원가계산을 위해서만 사용하고, 통제 및 성과평가 목적으로는 고정제조간접원가 예산 총액을 이용한다.

4. 원가차이분석

사례 — 예제

㈜해커화학은 표준원가계산제도를 채택하고 있으며, 직접노동시간을 기준으로 하여 제조간접원가를 배부하고 있다.

[1] 회사는 단일제품을 생산하고 있는데 제품단위당 표준원가는 다음과 같다.

구분	표준수량	표준가격	표준원가
직접재료원가	2kg	₩25/kg	₩50
직접노무원가	3시간	₩3/시간	₩9
변동제조간접원가	3시간	₩2/시간	₩6
고정제조간접원가	3시간	₩5/시간	₩15
제품단위당 표준원가			₩80

[2] 회사는 연간 고정제조간접원가예산 ₩90,000이고, 연간 18,000 직접노동시간을 기준조업도에 근거하여 직접노동시간당 ₩5의 고정제조간접원가 예정배부율을 적용하고 있다.

[3] 회사는 20×1년 중 제품 5,000단위를 생산하였으며, 1년 동안 실제 발생된 제조원가는 다음과 같았다.

구분	실제수량	실제가격	표준원가
직접재료원가	12,000kg	₩27.5/kg	₩330,000
직접노무원가	16,000시간	₩2.5/시간	₩40,000
변동제조간접원가			₩28,000
고정제조간접원가			₩80,000

[4] 실제재료구입량은 16,000kg이다.

(1) 원가차이

실제원가와 표준원가의 차이이다.

원가차이[*1] = 실제원가 − 표준원가 $\gtrless$ 0 : 불리(U)한 차이 (>) / 유리(F)한 차이 (<)

(*1) 원가차이는 직접재료원가, 직접노무원가, 변동제조간접원가, 고정제조간접원가 즉, 모든 원가요소별로 발생한다.

(2) 원가차이분석

원가차이의 원인을 분석하는 과정으로 원가요소별로 수행한다.

① 직접재료원가 차이

<구입시점>	AQ′ × AP	AQ′ × SP
직접재료원가	16,000kg × ₩27.5	16,000kg × ₩25
	₩440,000	₩400,000
	구입가격차이 40,000U	

		AQ × SP	SQ × SP
		12,000kg × ₩25	5,000개 × 2kg × ₩25
		₩300,000	₩250,000

능률차이(수량차이) 50,000U

<사용시점>	AQ × AP	AQ × SP	SQ × SP
직접재료원가	12,000kg × ₩27.5	12,000kg × ₩25	5,000개 × 2kg × ₩25
	₩330,000	₩300,000	₩250,000

가격차이 ₩30,000U | 능률차이(수량차이) ₩50,000U

총차이(변동예산차이) ₩80,000U

㉠ 용어정리

ⓐ AQ: 실제투입량, AQ′: 실제구입량

ⓑ SQ: 실제생산량에 허용된 표준투입량

ⓒ AP: 실제가격, SP: 표준가격

㉡ 직접재료원가 가격차이를 구입시점에서 분리하면 원재료 계정은 항상 표준가격으로 기록되며 사용시점에서 분리하면 실제원가로 기록된다.

② 직접노무원가 차이분석

	AQ × AP	AQ × SP	SQ × SP
직접노무원가	16,000시간 × ₩2.5	16,000시간 × ₩3	5,000개 × 3시간 × ₩3

가격차이(임률차이) ₩8,000F | 능률차이(시간차이) ₩3,000U

총차이(변동예산차이) ₩5,000F

㉠ AQ: 실제투입시간, SQ: 실제생산량에 허용된 표준투입시간

㉡ AP: 실제임률(가격), SP: 표준임률(가격)

③ 변동제조간접원가 차이분석

	AQ × APv	AQ × SPv	SQ × SPv
변동제조간접원가	₩28,000	16,000시간 × ₩2	5,000개 × 3시간 × ₩2

소비차이 ₩4,000F | 능률차이 ₩2,000U

총차이(변동예산차이, 배부차이) ₩2,000F

㉠ 용어정리

ⓐ AQ: 실제조업도, SQ: 실제생산량에 허용된 표준조업도

ⓑ APv: 실제배부율, SPv: 변동제조간접원가 표준배부율

ⓛ 변동제조간접원가 표준배부율(SPV)

$$SPv = \frac{\text{VOH 예산}}{\text{기준조업도}} = \frac{\text{실제투입량기준 VOH 변동예산}(AQ \times SPv)}{AQ} = \frac{\text{실제산출량기준 VOH 변동예산}(SQ \times SPv)}{SQ}$$

④ 고정제조간접원가 차이분석

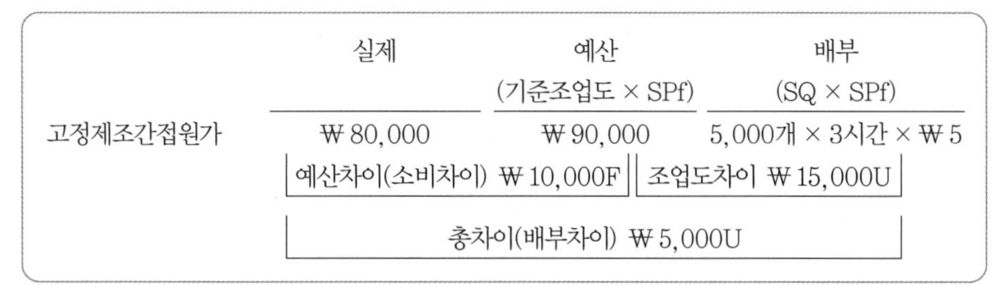

㉠ 용어정리

ⓐ SQ: 실제생산량에 허용된 표준조업도

ⓑ SPf: 고정제조간접원가 표준배부율

ⓛ 고정제조간접원가 표준배부율(SPf)

$$SPf = \frac{\text{FOH 예산}}{\text{기준조업도}}$$

5. 제조간접원가에 대한 다양한 분석방법

(1) 실제제조간접원가를 VOH와 FOH로 구분할 수 있는 경우: 4분법

(2) 실제제조간접원가를 VOH와 FOH로 구분할 수 없는 경우: 3, 2, 1분법

1. OH예산 = VOH예산 + FOH예산 = Q × SPV + FOH예산
   ① Q = AQ(실제조업도): 실제투입량(AQ)기준 OH변동예산
   ② Q = SQ(표준조업도): 실제산출량(SQ)기준 OH변동예산
2. 3분법, 2분법, 1분법

실제 (실제VOH + 실제FOH)	(실제투입량)변동예산 (AQ × SPv + FOH예산)	(실제산출량)변동예산 (SQ × SPv + FOH예산)	배부 SQ × (SPv + SPf)
₩108,000	₩90,000 + 16,000시간 × ₩2	₩90,000 + 15,000시간 × ₩2	15,000시간 × ₩7

- 소비차이 ₩14,000F
- 능률차이 ₩2,000U
- 예산차이 ₩12,000F
- 조업도차이 ₩15,000U
- 총차이(배부차이) ₩3,000U

단원별 객관식문제

01 ㈜해커는 표준원가계산을 사용하고 있다. 다음 자료를 근거로 한 직접노무원가의 능률차이는?

• 실제 직접노동시간	7,000시간
• 표준 직접노동시간	8,000시간
• 직접노무원가 임률차이	₩ 3,500(불리)
• 실제 노무원가 총액	₩ 24,500

① ₩ 3,000(유리) ② ₩ 3,000(불리)
③ ₩ 4,000(유리) ④ ₩ 4,000(불리)

해설 정답 ①

AQ × AP	AQ × SP	SQ × SP
7,000시간 × 3.5 = 24,500	7,000시간 × 3 = 21,000	8,000시간 × 3 = 24,000

직접노무원가 능률차이: ₩ 24,000 - ₩ 21,000 = ₩ 3,000(유리)

02 표준원가계산 제도를 사용하고 있는 ㈜해커는 제품 단위당 표준 직접재료원가로 ₩ 200을 설정하였으며 단위당 표준직접재료원가의 산정 내역과 20×1년 3월 동안 제품을 생산하면서 집계한 자료는 아래와 같다. ㈜해커의 직접재료원가 변동예산차이에 대한 설명으로 가장 옳지 않은 것은?

직접재료 표준원가 산정내역	실제 제품생산관련 자료
• 제품 단위당 직접재료 • 표준사용량: 10kg • 직접재료의 표준가격: ₩ 20/kg	• 제품 생산량: 100단위 • 실제 직접재료 사용량: 1,050kg • 실제 직접재료원가: ₩ 20,600

① 총변동예산차이는 ₩ 600(불리한 차이)이다.
② 가격차이는 ₩ 400(유리한 차이)이다.
③ 능률차이는 ₩ 1,000(불리한 차이)이다.
④ 총변동예산차이는 ₩ 600(유리한 차이)이다.

해설 정답 ④

AQ × AP	AQ × SP	SQ × SP
20,600	1,050kg × 20 = 21,000	100단위 × 10kg × 20 = 20,000

총변동예산차이: ₩ 20,600 - ₩ 20,000 = ₩ 600(불리)

(선지분석)
② 가격차이: ₩ 21,000 - ₩ 20,600 = ₩ 400(유리)
③ 능률차이: ₩ 21,000 - ₩ 20,000 = ₩ 1,000(불리)

03 ㈜해커는 내부관리 목적으로 표준원가계산시스템을 채택하고 있고, 표준노무시간은 제품단위당 5시간이다. 제품의 실제생산량은 2,100단위이고 고정제조간접원가 실제발생액은 ₩900,000이다. 이 회사는 고정제조간접원가를 노무시간을 기준으로 배부하며 기준조업도는 10,000노무시간이다. 고정제조간접원가 예산차이가 ₩100,000 유리하다면 조업도차이는?

① ₩40,000 불리　　② ₩40,000 유리
③ ₩50,000 불리　　④ ₩50,000 유리

해설　　정답 ④

실제원가	변동예산	배부액
900,000	1,000,000 (직접노무시간당 ₩100[*1])	2,100단위 × 5H × 100 = 1,050,000

(*1) ₩1,000,000 ÷ 10,000DLH(기준조업도) = ₩100
조업도차이: ₩1,050,000 - ₩1,000,000 = ₩50,000(유리)

04 ㈜해커의 4월 직접재료원가에 대한 자료는 다음과 같다. 4월의 유리한 재료수량차이(능률차이)는?

- 실제재료구매량: 3,000kg
- 실제생산에 대한 표준재료투입량: 2,400kg
- 실제 재료구입단가: ₩310/kg
- 실제 재료사용량: 2,200kg
- 불리한 재료가격차이(구입시점기준): ₩30,000

① ₩50,000　　② ₩55,000
③ ₩60,000　　④ ₩65,000

해설　　정답 ③

AQ′ × AP	AQ′ × SP
3,000kg × ₩310 = ₩930,000	3,000kg × ₩300 = ₩900,000

구입가격차이 ₩30,000 불리

AQ × SP	SQ × SP
2,200kg × ₩300 = ₩660,000	2,400kg × ₩300 = ₩720,000

수량(능률)차이 ₩60,000 유리

직접재료원가의 가격차이를 분리하는 것은 원재료를 구입하는 시점에서 계산할 수도 있고 사용하는 시점에서 계산할 수도 있다. 그러나 재료원가의 수량차이는 가격차이를 분리하는 시점과는 상관없이 동일하다.

05 표준원가계산제도를 도입하고 있는 ㈜해커의 재료원가에 대한 표준과 제품 1,000단위를 생산한 지난 달의 실제 재료원가 발생액이 다음과 같다. 재료가격차이와 재료수량차이는?

> • 제품 단위당 표준재료원가
>   - 수량 10kg/단위, 재료단위당 가격 ₩100
>
> • 실제발생 재료원가
>   - 재료소비량 12,000kg, 재료원가 ₩1,080,000

	재료가격차이	재료수량차이
①	₩100,000 불리	₩180,000 유리
②	₩100,000 유리	₩180,000 불리
③	₩120,000 불리	₩200,000 유리
④	₩120,000 유리	₩200,000 불리

해설 정답 ④

AQ × AP	AQ × SP	SQ × SP
	12,000kg × ₩100	1000단위 × 10kg × ₩100
₩1,080,000	= ₩1,200,000	= ₩1,000,000

가격차이 ₩120,000 유리 / 수량차이 ₩200,000 불리

06 20×9년 5월 중 ㈜해커의 노무원가와 관련된 다음의 자료를 이용하여 직접노무원가 능률차이를 구하면?

• 제품단위당 표준직접노무시간	3시간
• 시간당 표준임률	₩20
• 시간당 실제임률	22
• 5월 중 제품 생산량	2,100단위
• 5월 중 실제직접노무시간	6,000시간

① ₩6,000 불리　　② ₩6,000 유리
③ ₩6,600 불리　　④ ₩6,600 유리

해설 정답 ②

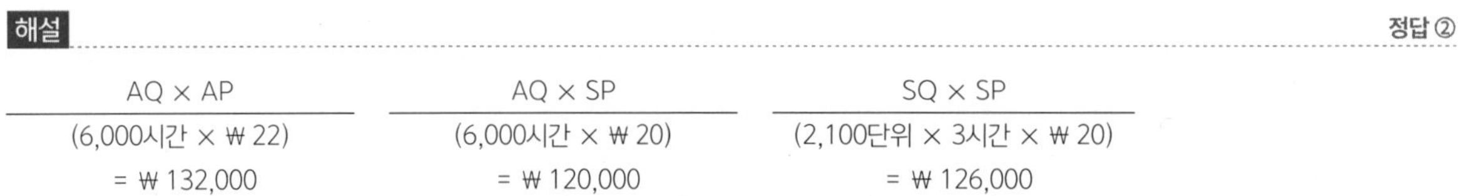

07 다음은 ㈜해커의 20×2년도 제조활동과 관련된 자료이다.

• 표준직접노동시간	단위당 2시간
• 실제직접노동시간	21,000시간
• 생산된 제품단위	10,000개
• 변동제조간접원가 표준	직접노동시간당 ₩3
• 실제변동제조간접원가	₩28,000

㈜해커의 20×2년도 변동제조간접원가 능률차이는?

① ₩2,000 유리
② ₩2,000 불리
③ ₩3,000 불리
④ ₩5,000 불리

해설 정답 ③

AQ × AP	AQ × SP	SQ × SP
	21,000시간 × ₩3	10,000개 × 2시간 × ₩3
₩28,000	= ₩63,000	= ₩60,000
	능률차이 ₩3,000 불리	

08 ㈜해커는 표준원가계산제도를 사용하여 제품의 원가를 계산한다. 20×1년 예산생산량은 110단위였으나, 실제는 120단위를 생산하였다. 기초와 기말재공품은 없으며, 실제 발생한 고정제조간접원가는 ₩13,000이었다. 단위당 고정제조간접원가 계산을 위해 사용하는 기준조업도는 100단위이며, 제품단위당 고정제조간접원가 배부율은 ₩100일 때, 고정제조간접원가의 예산차이와 조업도차이는?

	예산차이	조업도차이
①	₩3,000 불리	₩2,000 유리
②	₩3,000 유리	₩2,000 불리
③	₩3,000 불리	₩1,000 유리
④	₩3,000 유리	₩1,000 불리

해설 정답 ①

	실제발생액	예산액 (기준조업도 × 표준배부율)	SQ × SP
		100단위 × ₩100	120단위 × ₩100
고정제조간접원가	₩13,000	= ₩10,000	= ₩12,000
	예산차이 ₩3,000 불리	조업도차이 ₩2,000 유리	

07 변동원가계산

1. 의의

직접재료원가, 직접노무원가, 변동제조간접원가 및 고정제조간접원가로 구성되는 제조원가 중 재고가능 여부에 따라 전부원가계산, 변동원가계산, 초변동원가계산으로 구분할 수 있다.

<table>
<tr><th>구분</th><th>전부원가계산</th><th>변동원가계산</th><th>초변동원가계산</th></tr>
<tr><td>직접재료원가</td><td rowspan="4">제품원가</td><td rowspan="3">제품원가</td><td>제품원가</td></tr>
<tr><td>직접노무원가</td><td rowspan="5">기간비용</td></tr>
<tr><td>변동제조간접원가</td></tr>
<tr><td>고정제조간접원가</td><td rowspan="3">기간비용</td></tr>
<tr><td>변동판매관리비</td><td rowspan="2">기간비용</td></tr>
<tr><td>고정판매관리비</td></tr>
</table>

제품원가
재고가능원가이며 판매시까지 재고자산으로 계상하고 판매시점에 매출원가로 비용처리한다.

기간비용(기간원가)
재고불능원가이며 발생한 시점에 비용처리한다.

2. 전부원가계산

전부원가계산은 모든 제조원가를 제품원가에 포함시키는 방법이다. 전부원가계산은 일반적으로 인정된 회계원칙에서 인정하는 방법이므로 외부보고용 재무제표를 작성할 때에는 이 방법에 따라야 한다.

(1) 전부원가계산의 손익계산서

① 전부원가계산에 의한 손익계산서를 전통적 손익계산서라고 하는데 외부보고를 위하여 이용되는 전통적 손익계산서에는 비용을 매출원가, 판매비와 관리비와 같이 그 기능에 따라 분류한다.

② 원가를 기능별로 분류하는 경우, 외부정보이용자에게는 유용한 정보가 될 수 있으나, 판매량의 변동이 비용에 미치는 영향을 직관적으로 파악할 수 없어 계획 및 의사결정, 통제 및 성과평가 등 관리회계 목적으로 이용하기에는 어렵다.

전부원가계산 손익계산서(기능별 분류)		
매출액	가격 × 판매량	×××
매출원가		(×××)
직접재료원가	DM × 판매량	
직접노무원가	DL × 판매량	
변동제조간접원가	VOH × 판매량	
고정제조간접원가	FOH/생산량 × 판매량	
매출총이익		×××
판매비와 관리비		(×××)
변동판매관리비	판매관리비 × 판매량	
고정판매관리비	고정판매관리비	
영업이익		×××

(2) **전부원가계산의 이익함수**

위 손익계산서를 살펴보면 전부원가계산의 영업이익에는 두 가지 변수가 영향을 미친다는 것을 알 수 있다.

① **판매량**

㉠ 판매량이 증가하면 전부원가계산의 영업이익은 증가할 것이다.

㉡ 판매량 증가 → 영업이익 증가

② **생산량**

㉠ 생산량이 증가하면 단위당 고정제조간접원가가 감소해 비용처리되는 고정제조간접원가가 감소하게 된다. 따라서 영업이익은 증가하게 된다.

㉡ 생산량 증가 → @FOH 감소 → 비용처리되는 FOH 감소 → 영업이익 증가

생산량은 고정제조간접원가 외에 다른 원가에는 영향을 미치지 않는다.

전부원가계산의 영업이익(증가, 증가) = f(판매량$_{증가}$, 생산량$_{증가}$)

3. 변동원가계산

변동원가계산(직접원가계산, 공헌이익법)은 직접재료원가, 직접노무원가, 변동제조간접원가 등 변동제조원가만을 제품원가에 포함시킨다. 따라서 변동원가계산에서는 고정제조간접원가가 판매비·관리비와 더불어 기간비용으로 처리된다. 변동원가계산은 주로 의사결정, 성과평가 등 관리회계 목적으로 이용된다.

(1) **변동원가계산의 손익계산서**

① 변동원가계산은 내부관리 목적으로 이용되므로 원가를 행태에 따라 분류하게 된다. 따라서 변동원가계산 손익계산서에서는 비용을 변동원가와 고정원가로 구분하여 표시한다.

② 변동원가에는 변동제조원가와 변동판매관리비가 포함되며 변동원가는 매출액에서 차감된다. 매출액에서 변동원가를 차감한 값을 공헌이익(contribution margin)이라고 하는데, 이는 고정원가를 회수하고 이익에 공헌하는 금액을 의미한다.

③ 고정원가에는 고정제조간접원가와 고정판매관리비가 포함되며, 공헌이익에서 고정원가를 차감하여 영업이익을 계산하게 된다. 변동원가계산의 손익계산서에는 공헌이익이 표시되므로 공헌이익 손익계산서라고도 한다.

변동원가계산 손익계산서(행태별 분류)

매출액	가격 × 판매량	×××
변동원가		(×××)
직접재료원가	DM × 판매량	
직접노무원가	DL × 판매량	
변동제조간접원가	VOH × 판매량	
변동판매관리비	판매관리비 × 판매량	
공헌이익		×××[*1]
고정원가		(×××)
고정제조간접원가	고정제조간접원가[*2]	
고정판매관리비	고정판매관리비	
영업이익		×××

(*1) 공헌이익은 다음과 같이 직접 계산할 수도 있다.
공헌이익: {가격 − (DM + DL + VOH + 변동판매관리비)} × 판매량
↳ 변동원가

(*2) 변동원가계산에서 고정제조간접원가는 기간비용이므로 단위당 고정제조간접원가를 구하지 않고 실제 발생액을 단순히 비용처리한다.

(2) 변동원가계산의 이익함수

① 위 손익계산서를 살펴보면 변동원가계산의 영업이익에는 한 가지 변수만 영향을 미친다는 것을 알 수 있다.

- **판매량**: 판매량이 증가하면 변동원가계산의 영업이익은 증가할 것이다.
  ⇨ 판매량 증가 → 영업이익 증가
- **변동원가계산의 영업이익**(증가) = f(판매량$_{증가}$)

② 전부원가계산과 달리 변동원가계산의 영업이익에는 생산량이 영향을 미치지 않는다. 따라서 변동원가계산은 전부원가계산에 비해 판매량의 변동이 영업이익에 미치는 영향을 더 직관적으로 파악할 수 있다.

(3) 초변동원가계산

초변동원가계산(직접원가계산, 공헌이익법)은 직접재료원가만을 제품원가에 포함시킨다.

① 영업이익이 판매량뿐만 아니라 생산량에 의해서도 영향을 받는다.

② 생산과잉에 따라 생산량이 증가하면 기간비용으로 처리되는 가공원가의 증가로 인하여 영업이익이 오히려 감소한다.

③ 재고자산 최소화의 유인을 경영자에게 제공하며 불필요한 재고누적을 방지한다.

불필요한 재고누적을 방지하는 효과는 초변동원가계산이 변동원가계산보다 더욱 강화되어 나타난다.

4. 양 방법의 본질적 차이

전부원가계산과 변동원가계산의 본질적인 차이점은 고정제조간접원가를 제품원가에 포함시킬 것인가에 있다. 전부원가계산은 고정제조간접원가를 제품원가에 포함하므로 원가 발생 시에는 자산으로 계상한 후, 제품 판매 시에 비용으로 처리하지만, 변동원가계산은 고정제조간접원가를 발생 시점에 전액 기간비용으로 처리한다.

5. 이익차이 조정

전부원가계산과 변동원가계산의 차이점은 고정제조간접원가를 제품원가에 포함시킬 것인지의 여부에 있다. 양 방법에서의 유일한 차이는 고정제조간접원가의 자산화 여부이므로 양 방법의 이익차이를 가져오는 것도 고정제조간접원가가 유일하다. 결과적으로 전부원가계산과 변동원가계산의 이익차이를 분석할 때는 고정제조간접원가만 분석하여 양 방법의 이익차이를 조정한다.

고정제조간접원가 외의 원가들은 전부원가계산과 변동원가계산에서의 처리가 동일하므로 이익차이를 가져오지 않는다.

(1) 비용처리되는 고정제조간접원가

원가흐름의 가정으로 선입선출법을 가정하면, 비용처리되는 고정제조간접원가는 다음과 같이 계산한다.

① **변동원가계산**: 고정제조간접원가가 기간비용이므로 당기에 발생된 고정제조간접원가를 전액 비용으로 처리한다.

→ 당기 FOH

② **전부원가계산**: 고정제조간접원가를 판매 시에 비용으로 처리한다. 선입선출법하에서는 기초재고자산이 가장 먼저 판매되므로, 기초재고자산에 포함된 고정제조간접원가를 가장 먼저 비용으로 처리하고, 기말재고자산은 아직 판매되지 않았으므로 기말재고자산에 포함된 고정제조간접원가는 비용에서 취소하여 자산으로 계상한다.

→ 기초재고 FOH + 당기 FOH - 기말재고 FOH

(2) 이익차이 조정

양 방법에서 비용처리되는 고정제조간접원가를 살펴보면 아래와 같은 결과를 도출할 수 있다.

① 기초재고 FOH만큼 전부원가계산에서 비용처리를 추가로 한다.

→ 전부원가계산의 이익이 감소한다.

② 기말재고 FOH만큼 전부원가계산에서 비용처리를 적게 한다.

→ 전부원가계산의 이익이 증가한다.

	변동원가계산의 이익	×××
(−)	기초재고 FOH	×××
(+)	기말재고 FOH	×××
	전부원가계산의 이익	×××

전부원가계산과 변동원가계산의 이익차이 조정

이익차이를 조정하는 식을 구체적으로 나타내면 아래와 같다.

	변동원가계산의 이익	×××
(−)	기초재고 FOH	기초재고수량 × (전기의)단위당 고정제조간접원가[*1]
(+)	기말재고 FOH	기말재고수량 × (당기의)단위당 고정제조간접원가[*2]
	전부원가계산의 이익	×××

(*1) 기초재고는 전기에 생산한 물량이므로 전기의 원가를 적용한다.
(*2) 기말재고는 당기에 생산한 물량이므로 당기의 원가를 적용한다.

위 식에서 아래와 같은 결론을 내릴 수 있다. 다만, 아래의 표는 매년 단위당 고정제조간접원가가 같을 경우 정확히 성립하지만, 그렇지 않을 경우에는 성립하지 않을 수도 있음에 유의해야 한다.

표로 확인하기 | 상황, 재고변화, 이익의 크기에 따른 이익차이 조정

상황	재고변화	이익의 크기
생산량 > 판매량	기초재고수량 < 기말재고수량	전부원가 > 변동원가
생산량 = 판매량	기초재고수량 = 기말재고수량	전부원가 = 변동원가
생산량 < 판매량	기초재고수량 > 기말재고수량	전부원가 < 변동원가

사례 — 예제

20×1년 초에 영업을 개시한 ㈜해커의 생산 및 판매자료와 원가자료는 아래와 같다. 아래의 자료를 이용해서 ㈜해커의 매년 변동원가계산 영업이익을 구하고, 전부원가계산에 의한 영업이익으로 조정하시오(단, ㈜해커의 단위당 판매가격은 ₩100이고, 선입선출법에 의해 재고자산을 평가하고 있다).

수량	20×1년	20×2년	20×3년
기초제품재고량	−	1,000	1,000
당기 생산량	3,000	2,000	3,000
당기 판매량	2,000	2,000	4,000
기말제품재고량	1,000	1,000	−

- 매년 단위당 변동원가 ₩50
- 매년 고정제조간접원가 ₩60,000
- 매년 고정판매관리비 ₩20,000

해설

[1] 20×1년

변동원가계산 영업이익: (100 − 50) × 2,000단위 − (60,000 + 20,000) = ₩20,000

	변동원가계산의 영업이익	₩20,000
(−)	기초재고 FOH	−
(+)	기말재고 FOH	1,000단위 ×@20 (₩60,000 ÷ 3,000단위)
	전부원가계산의 영업이익	₩40,000

[2] 20×2년

변동원가계산 영업이익: (100 − 50) × 2,000단위 − (60,000 + 20,000) = ₩20,000

	변동원가계산의 영업이익	₩20,000
(−)	기초재고 FOH	1,000단위 × @20 (₩60,000 ÷ 3,000단위)
(+)	기말재고 FOH	1,000단위 × @30 (₩60,000 ÷ 2,000단위)
	전부원가계산의 영업이익	₩30,000

[3] 20×3년

변동원가계산 영업이익: (100 − 50) × 4,000단위 − (60,000 + 20,000) = ₩120,000

	변동원가계산의 영업이익	₩120,000
(−)	기초재고 FOH	1,000단위 × @30 (₩60,000 ÷ 2,000단위)
(+)	기말재고 FOH	−
	전부원가계산의 영업이익	₩90,000

6. 제품원가계산방법의 상호비교(기능별 표시방법에 의한 포괄손익계산서의 상호비교)

I/S(전부원가계산)		I/S(변동원가계산)			I/S(초변동원가계산)		
매출액	×××	매출액		×××	매출액		×××
매출원가	×××	변동비		×××	직접재료매출원가		×××
매출총이익	×××	변동매출원가	×××		재료처리량공헌이익		×××
판매관리비	×××	변동판매관리비	×××		운영비용		×××
영업이익	×××	공헌이익		×××	직접노무원가	×××	
		고정비		×××	변동제조간접원가	×××	
		고정제조간접원가	×××		고정제조간접원가	×××	
		고정판매관리비	×××		변동판매관리비	×××	
		영업이익		×××	고정판매관리비	×××	
					영업이익		×××

포괄손익계산서(I/S)의 비교

- 전부원가계산하의 포괄손익계산서를 전통적인 포괄손익계산서라고 한다.
- 변동원가계산하의 포괄손익계산서를 공헌이익 포괄손익계산서 또는 행태별 포괄손익계산서라고 한다.

사례 —

㈜해커는 당기 초에 영업을 개시한 회사로 당기에 1,000단위를 생산하여 그 중 800단위를 판매하였으며 관련 자료는 다음과 같다. 당사는 원재료에 단순가공 후 판매하는 회사로 공정의 특성상 재공품은 존재하지 않는다. 제품단위당 판매가격이 ₩4,000일 경우 전부원가계산과 변동원가계산의 순이익이 각각 얼마인가?

	단위당 변동원가	고정원가
직접재료원가	₩500	–
직접노무원가	₩400	–
제조간접원가	₩600	₩1,200,000
판매관리비	₩200	₩400,000

해설

변동원가계산		전부원가계산	
매출액(800단위 × ₩4,000)	₩3,200,000	매출액(800단위 × ₩4,000)	₩3,200,000
변동원가		매출원가(800단위 × ₩2,700)	2,160,000
변동매출원가(800단위 × ₩1,500)	(1,200,000)	매출총이익	₩1,040,000
변동판매관리비(800단위 × ₩200)	(160,000)	판매관리비(800단위× ₩200 + 400,000)	560,000
공헌이익	₩1,840,000	영업이익	₩480,000
고정원가			
고정제조간접원가	(1,200,000)		
고정판매관리비	(400,000)		
영업이익	₩240,000		

7. 각 제품원가계산방법의 장점 및 단점

(1) 전부원가계산의 장·단점

구분	내용
장점	① 경영자의 장기적인 의사결정에 적합한 정보를 제공함 ② 모든 제조원가를 제품원가에 포함시키므로 변동원가와 고정원가의 구분이 불필요함 ③ 수익·비용 대응의 원칙에 부합함
단점	① 생산량이 변동할 경우 제품단위당 원가가 변함 ② 영업이익이 판매량뿐만 아니라 생산량에 의해서도 영향을 받음 ③ 재고과잉 유인이 존재

(2) 변동원가계산의 장·단점

구분	내용
장점	① 경영자의 단기적인 의사결정에 적합한 정보를 제공함 ② 영업이익이 판매량에 의해서만 결정되므로 재고과잉유인이 없음
단점	① 변동원가와 고정원가로 구분되지 않는 준변동원가(혼합원가)를 자의적으로 구분해야 함 ② 고정제조간접원가가 기간비용 처리되므로 수익·비용 대응의 원칙에 어긋남

(3) 초변동원가계산의 장 · 단점

장점	① 당기에 발생한 가공원가를 기간비용 처리하므로 판매량을 초과하여 생산하려는 유인을 억제하는 효과가 있음 ② 직접재료원가만 제품원가에 포함시키므로 가공원가를 변동원가과 고정원가로 구분할 필요가 없음
단점	① 재고자산 최소화가 수요의 불확실성이 크거나 규모의 경제가 존재하는 경우에는 오히려 영업에 악영향을 미칠 수도 있음 ② 재고누적을 방지하기 위해 덤핑판매 등의 부작용이 발생할 가능성이 있음

단원별 객관식문제

01 **전부원가계산과 변동원가계산에 대한 설명으로 옳지 않은 것은? (단, 주어진 내용 외의 다른 조건은 동일하다)**

① 전부원가계산에서 판매량이 일정하다면 생산량이 증가할수록 영업이익은 증가한다.
② 전부원가계산은 외부보고 목적보다 단기의사결정과 성과평가에 유용하다.
③ 변동원가계산에서는 고정제조간접원가를 제품원가에 포함시키지 않는다.
④ 변동원가계산에서 생산량의 증감은 이익에 영향을 미치지 않는다.

해설 정답 ②

단기의사결정과 성과평가에 유용한 제품원가계산은 변동원가계산방법이다.

02 **20×1년 초에 영업을 개시한 ㈜해커는 동 기간에 5,000단위의 제품을 생산 · 완성하였으며, 단위당 ₩ 1,200에 판매하고 있다. 영업활동에 관한 자료는 다음과 같다.**

단위당 직접재료원가	₩ 450	고정제조간접원가	₩ 500,000
단위당 직접노무원가	₩ 300	고정판매관리비	₩ 300,000
단위당 변동제조간접원가	₩ 100		
단위당 변동판매관리비	₩ 100		

전부원가계산에 의한 영업이익이 변동원가계산에 의한 영업이익보다 ₩ 300,000이 많을 경우, 20×1년 판매수량은?

① 1,000단위　　② 2,000단위
③ 3,000단위　　④ 4,000단위

해설 정답 ②

(1) 단위당 고정제조간접원가 = ₩ 500,000 ÷ 5,000단위 = ₩ 100
(2) 기말재고수량 = ₩ 300,000 ÷ ₩ 100 = 3,000개
(3) 판매수량 = 5,000개 - 3,000개 = 2,000개

03 20×1년 1월 1일에 영업을 개시한 ㈜해커는 20×1년 10,000단위의 제품을 생산하여 9,000단위를 판매하였으며, 20×1년 12월 31일 현재 기말재공품 및 원재료 재고는 없다. 실제 제품원가는 제품 단위당 직접재료원가 ₩40, 직접노무원가 ₩20, 변동제조간접원가 ₩10이었고, 총고정제조간접원가는 ₩200,000이었다.㈜해커가 실제원가계산을 하는 경우, 20×1년도 전부원가계산에 의한 영업이익과 변동원가계산에 의한 영업이익의 차이는?

① ₩20,000 ② ₩90,000
③ ₩180,000 ④ ₩200,000

해설 정답 ①

(1) 단위당 고정제조간접원가: ₩200,000 ÷ 10,000단위 = ₩20/단위
(2) 이익차이: 재고증감(1,000단위) × 단위당 고정제조간접원가(₩20) = ₩20,000

04 ㈜해커는 20×1년에 영업을 시작하였으며, 당해 연도의 생산 및 판매와 관련된 자료는 다음과 같다. ㈜해커가 실제원가계산에 의한 전부원가계산방법과 변동원가계산방법을 사용할 경우, 영업이익이 더 높은 방법과 두 방법 간 영업이익의 차이는?

제품생산량	1,000개	제품판매량	800개
고정제조간접원가	₩1,000,000	고정판매비와 관리비	₩1,100,000
기말 재공품은 없음			

	영업이익이 더 높은 방법	영업이익의 차이
①	전부원가계산	₩200,000
②	변동원가계산	₩200,000
③	전부원가계산	₩220,000
④	변동원가계산	₩220,000

해설 정답 ①

당기 영업을 시작하였으므로 기초재고자산은 없으며 기말제품수량은 200개이다. 따라서 전부원가계산에 의한 영업이익이 기말제품에 포함된 고정제조간접원가(= 200개 × ₩1,000)만큼 변동원가계산에 의한 영업이익 보다 크다.

05

㈜해커는 제품 A를 생산하며 20×1년 5월 초에 영업을 개시하였다(기초재고자산은 없음). 20×1년 5월과 6월의 생산량은 각각 400단위, 500단위이며, 판매량은 각각 380단위, 400단위이다. 매월 고정제조간접원가는 ₩400,000씩 동일하게 발생한다. 20×1년 6월의 전부원가계산에 의한 손익계산서가 다음과 같을 때 6월의 변동원가계산에 의한 영업이익은 얼마인가? (단, 원가흐름가정은 선입선출법을 적용한다)

매출액		₩1,000,000
매출원가		
월초제품재고액	₩45,000	
당월제품제조원가	1,050,000	
월말제품재고액	252,000	843,000
매출총이익		₩157,000
판매비와관리비		67,000
영업이익		₩90,000

① ₩6,000
② ₩14,000
③ ₩70,000
④ ₩110,000

해설 정답 ②

	변동원가계산 이익	x
(+)	기말재고자산 FOH: 120단위 × ₩800[*1] =	96,000
(−)	기초재고자산 FOH: 20단위 × ₩1,000[*2] =	(20,000)
	전부원가계산 이익	₩90,000

(*1) ₩400,000 ÷ 500단위 = ₩800

(*2) ₩400,000 ÷ 400단위 = ₩1,000

∴ x = ₩14,000

06 20×1년 1월에 영업을 시작한 ㈜해커는 실제원가계산을 하고 있는데 20×1년 1월과 2월의 생산 및 판매 자료는 다음과 같다.

구분	1월	2월
생산량	500개	400개
판매량	350개	350개
고정제조간접원가	₩1,100,000	₩1,000,000
고정판매비와관리비	₩450,000	₩500,000

20×1년 2월 전부원가계산에 의한 영업이익이 ₩1,020,000일 때, 변동원가계산에 의한 영업이익은 얼마인가?

① ₩720,000 ② ₩850,000
③ ₩1,180,000 ④ ₩1,350,000

해설 정답 ②

변동원가계산 영업이익		x
(−) 기초재고에 포함된 FOH	$150개 \times \frac{₩1,100,000}{500개}$	= ₩330,000
(+) 기말재고에 포함된 FOH	$200개 \times \frac{₩1,000,000}{400개}$	= ₩500,000
전부원가계산영업이익		₩1,020,000

변동원가계산영업이익(x) = ₩850,000

08 원가의 행태와 추정

1 원가의 행태

1. 변동원가(variable costs)

조업도의 변동에 따라 원가총액이 비례적으로 변화하는 원가이다.

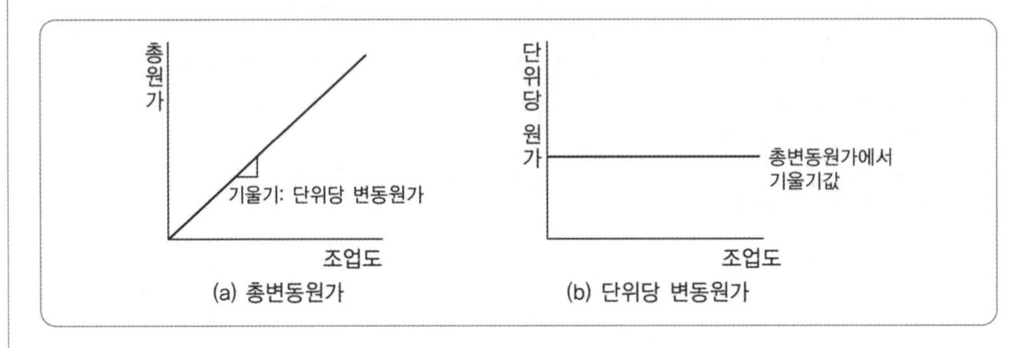

(a) 총변동원가 (b) 단위당 변동원가

2. 고정원가(fixed costs)

조업도의 변동과 관계없이 원가총액이 변동하지 않고 일정하게 발생하는 원가이다.

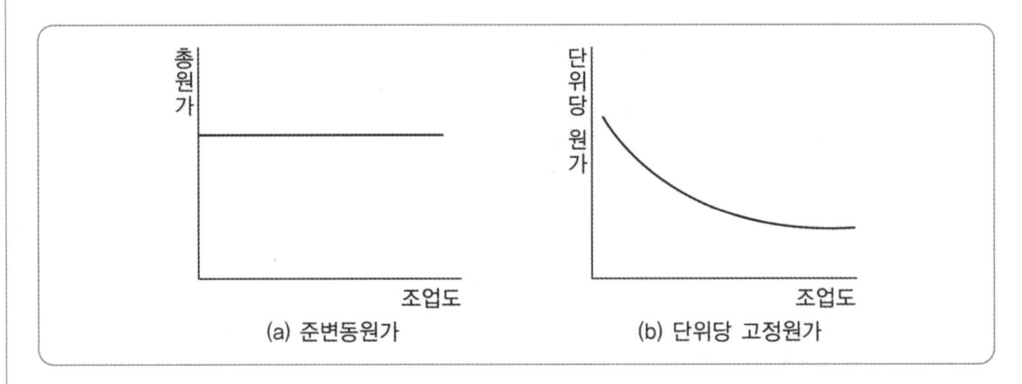

(a) 준변동원가 (b) 단위당 고정원가

3. 준변동원가(semi-variable costs)

조업도의 변동과 관계없이 일정하게 발생하는 고정원가와 조업도의 변동에 따라 비례해서 발생하는 변동원가의 두 요소를 모두 가지고 있는 원가이다.

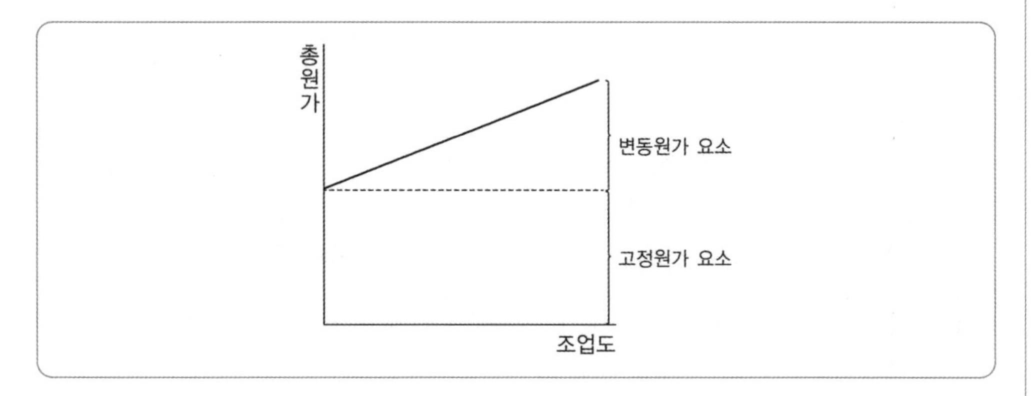

4. 준고정원가(semi-fixed costs)

일정한 범위의 조업도 내에서는 일정한 금액이 발생하지만, 그 범위를 벗어나면 원가발생액이 달라지는 원가이다.

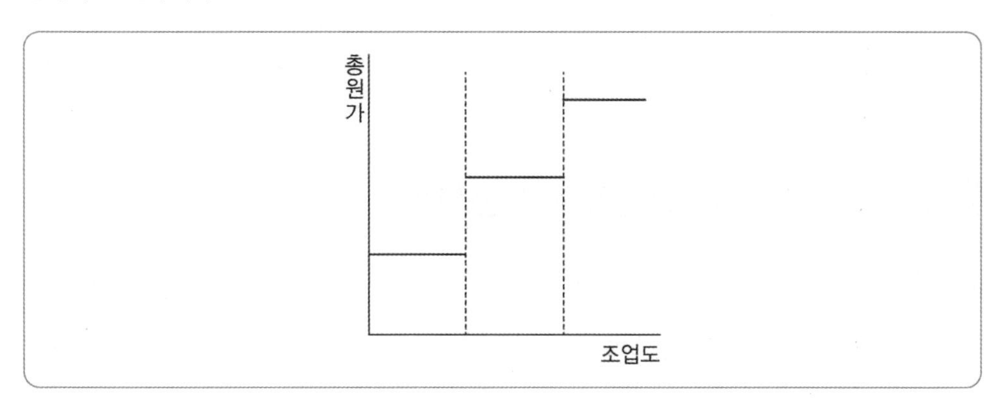

2 원가추정의 의의

1. 의의

원가추정(cost estimation)이란 원가(종속변수)와 조업도(독립변수) 사이의 관계를 규명하는 것을 말한다.

2. 가정

(1) 단 하나의 독립변수(조업도)만이 존재한다.

(2) 원가행태가 관련범위 내에서는 선형이다.

3. 방정식

$$\hat{y} = a + bx$$

단, x: 조업도　　　　a: 추정된 총고정원가
$\hat{y}$: 추정된 총원가　　b: 조업도 단위당 변동원가 추정치

4. 원가추정의 방법 – 고저점법(high – low method)

(1) 고저점법의 의의

최고조업도와 최저조업도에 대한 원가자료를 이용하여 원가함수를 추정하는 방법이다.

(2) 고점과 저점을 선택할 때에는 최고원가와 최저원가가 아닌 최고조업도와 최저조업도의 자료를 이용한다는 것에 유의해야 한다.

- 단위당 변동원가(b) = $\dfrac{\text{최고조업도에서의 총원가} - \text{최저조업도에서의 총원가}}{\text{최고조업도} - \text{최저조업도}}$
- 고정비(a) = 최고조업도에서의 총원가 − 단위당 변동원가(b) × 최고조업도
  (= 최저조업도에서의 총원가 − 단위당 변동원가(b) × 최저조업도)

3 학습곡선 – 누적평균시간 학습모형

1. 의의

누적생산량이 두 배로 증가할 때마다 단위당 누적평균시간이 (1 − 학습률)의 비율만큼 감소하는 학습효과가 발생하는 경우의 학습곡선모형이다.

2. 기본가정

(1) 종속변수에 영향을 주는 독립변수는 단 하나이다.
(2) 원가행태는 관련범위 내에서는 비선형이다(∵ 학습효과).

단원별 객관식문제

01 **조업도가 변화할 때 원가가 어떻게 달라지는가에 따라 변동원가, 고정원가, 준변동원가, 준고정원가로 분류할 수 있다. 고정원가에 대한 설명으로 가장 옳은 것은?**

① 조업도의 증감에 따라 비례적으로 증가 또는 감소하는 성격의 원가이다.
② 조업도가 증감하더라도 관련범위 내에서는 고정적이기 때문에, 다른 조건이 동일할 경우 제품의 단위당 원가는 조업도의 증가에 따라 감소한다.
③ 조업도가 0(영)인 경우에도 일정액이 발생하고, 그 이후로부터 조업도에 따라 비례적으로 증가하는 원가를 말한다.
④ 조업도와 관계없이 제품의 단위당 원가는 항상 일정하다.

해설 정답 ②

관련범위 내에서 조업도의 증감에 관계없이 총원가가 일정하고 단위당 원가는 조업도의 증가에 따라 감소하는 원가는 고정원가이다.

선지분석
① 고정원가는 조업도의 증감에 관계없이 관련범위 내에서는 일정하다.
③ 조업도에 따라 비례적으로 증가하지 않고 일정하다.
④ 조업도가 증가할수록 제품의 단위당 원가는 감소한다.

02 **원가행태에 대한 설명으로 옳지 않은 것은?**

① 고정원가는 조업도가 증감하더라도 전체 범위에서는 고정적이기 때문에, 다른 조건이 동일하다면 제품단위당 고정원가는 조업도의 증가에 따라 감소한다.
② 관련범위 내에서 조업도 수준과 관계없이 고정원가 발생총액은 일정하다.
③ 관련범위 내에서 조업도가 증가하면 변동원가 발생총액은 비례적으로 증가한다.
④ 변동원가는 조업도의 증감에 따라 관련범위 내에서 일정하게 변동하기 때문에, 다른 조건이 동일하다면 제품단위당 변동원가는 조업도의 증감에 관계없이 일정하다.

해설 정답 ①

고정원가는 조업도가 증감하더라도 관련범위에서는 고정적이다.

03 준고정(계단)원가에 대한 설명으로 옳은 것은? (단, 조업도 이외의 다른 조건은 일정하다고 가정한다)

① 조업도와 관계없이 단위당 원가는 항상 일정하다.
② 일정 조업도 범위 내에서는 조업도의 변동에 정비례하여 총원가가 변동한다.
③ 일정 조업도 범위 내에서는 총원가가 일정하지만, 일정 조업도 범위를 초과하면 총원가가 일정액만큼 증가한다.
④ 일정 조업도 범위 내에서는 조업도의 변동에 관계없이 총원가가 일정하므로, 단위당 원가는 조업도의 증가에 따라 증가한다.

해설 정답 ③

준고정원가란 일정한 범위의 조업도 내에서는 일정한 금액이 발생하지만, 그 범위를 벗어나면 원가발생액이 달라지는 원가를 말한다.

04 ㈜해커는 볼펜을 생산하고 있다. 지난 1년간의 생산 및 원가자료를 이용하여 원가행태를 추정하려고 한다. 다음 자료를 기초로 고저점법(High-low method)을 이용하여 원가를 추정한 결과를 바르게 나타낸 것은?

월	생산량	원가(₩)	월	생산량	원가(₩)
1	100	15,100	7	160	20,500
2	120	16,300	8	130	18,100
3	150	18,700	9	120	17,900
4	110	14,940	10	110	16,000
5	130	17,500	11	170	20,700
6	120	16,900	12	140	19,100

	고정원가	단위당 변동원가
①	₩ 80	₩ 7,100
②	₩ 7,100	₩ 80
③	₩ 96	₩ 4,380
④	₩ 4,380	₩ 96

해설 정답 ②

(1) 고점: 11월 (170개, ₩ 20,700)
(2) 저점: 1월 (100개, ₩ 15,100)
(3) 단위당 변동원가: (₩ 20,700 - ₩ 15,100)/(₩ 170 - ₩ 100) = ₩ 80
(4) 고정원가: ₩ 15,100 - ₩ 80 × 100개 = ₩ 7,100

05 ㈜해커의 최근 2년간 생산량과 총제품제조원가는 다음과 같다. 2년간 고정원가와 단위당 변동원가는 변화가 없었다. 20×1년도에 고정원가는 10% 증가하고 단위당 변동원가가 20% 감소하면, 생산량이 500개일 때 총제품제조원가는?

연도	생산량	총제품제조원가
20×1년	100개	₩30,000
20×2년	300개	₩60,000

① ₩70,000
② ₩76,500
③ ₩75,500
④ ₩94,500

해설 정답 ②

총고정원가를 a, 단위당 변동원가를 b라 하고 원가함수식을 추정하면,
100 × b + a = ₩30,000 ……… (1)
300 × b + a = ₩60,000 ……… (2)
(1)과 (2)를 연립하여 풀면,
b = ₩150, a = ₩15,000
따라서, 추정되는 원가함수식은 y = 150x + ₩15,000이다.
20×3년도 원가함수식은 y = 120x + ₩16,500이다. 생산량이 500개일 때 총제조원가는 (120 × 500 + ₩16,500) = ₩76,500이다.

09 원가 · 조업도 · 이익분석(CVP분석)

1. CVP분석의 의의

(1) 의의

① 원가 – 조업도 – 이익분석(CVP분석)이란 판매량과 같은 조업도의 변화가 기업의 원가, 수익, 이익에 미치는 영향을 분석하는 기법을 말하며 보통 CVP분석이라고 부른다.

② 특정기업의 조업도 변화가 수익과 원가에 미치는 영향을 분석하여 단기적인 이익계획수립, 의사결정 등에 활용하는 기법이다.

> CVP분석: 판매량 변화 → 원가 변화 → 이익 변화 예측

③ CVP분석은 경영계획을 수립하거나 이익의 예측, 가격정책의 결정, 판매전략의 수립, 특별주문 수락에 관한 의사결정 등 여러 형태의 의사결정에 유용하며, 제조업뿐만 아니라 상기업, 서비스업 및 학교와 병원 등과 같은 비영리조직에서도 이용할 수 있다.

④ 변동원가계산은 원가를 원가행태에 따라 변동원가와 고정원가로 구분하기 때문에 변동원가계산 손익계산서를 이용하면 조업도의 변화가 원가와 이익에 미치는 영향을 쉽게 파악할 수 있으므로 CVP분석에서는 변동원가계산 양식을 이용한다.

⑤ 따라서 CVP분석의 기본식은 변동원가계산에 바탕을 두고 있으며 아래와 같이 나타낼 수 있다.

> 공헌이익 = 고정원가 + 영업이익

변동원가계산 손익계산서 양식에서 공헌이익 이하를 살펴보면, '공헌이익 – 고정원가 = 영업이익'인데, 여기서 고정원가를 우항으로 이항하면, '공헌이익 = 고정원가 + 영업이익'의 기본식이 도출된다.

⑥ 위 식은 기업이 영업을 통해 실제로 벌어들인 이익은 공헌이익으로, 공헌이익은 고정원가를 회수하고, 고정원가의 회수가 끝나면 영업이익을 창출한다는 의미이다.

(2) 기본가정

① 수익과 원가의 확실성 및 선형성

② 원가의 행태별 구분: 단기를 가정함으로써 화폐의 시간가치는 무시함

③ 동시성(생산량 = 판매량): 기초재고 = 기말재고

④ 독립변수의 유일성(단일의 조업도: 판매량)

⑤ 일정한 매출배합 또는 매출액구성비

2. 손익분기분석 및 목표이익분석

> 손익분기분석(영업이익 = 0), 목표이익분석(영업이익 = TI)

단위당 판매가격	p	영업이익	$\pi = S - VC - FC$
단위당 변동원가	v	총공헌이익	$CM = S - VC = Q \times cm$
판매량	Q	단위당 공헌이익	$cm = \frac{CM}{Q} = p - v$
매출액	$S = Q \times p$	공헌이익률	$CMR = \frac{CM}{S} = \frac{cm}{p} = \frac{p-v}{p}$
총변동원가	$VC = Q \times v$	변동비율	$VCR = \frac{VC}{S} = \frac{v}{p}$
총고정원가	FC		$(CMR + VCR = 1)$

(1) 손익분기분석

등식법	① 목표매출액 − 목표변동액 − 고정원가 = 0 ② 목표판매량 × 단위당 판매가격 − 목표판매량 × 단위당 변동원가 − 고정원가 = 0
공헌이익법	① 목표공헌이익 = 고정원가 ② 목표판매량 × 단위당 공헌이익 = 고정원가 ③ 목표매출액 × 공헌이익률 = 고정원가

(2) 목표이익분석

등식법	① 목표매출액 − 목표변동액 − 고정원가 = 목표이익 ② 목표판매량 × 단위당 판매가격 − 목표판매량 × 단위당 변동원가 − 고정원가 = 목표이익
공헌이익법	① 목표공헌이익 = 고정원가 + 목표이익 ② 목표판매량 × 단위당 공헌이익 = 고정원가 + 목표이익 목표매출액 × 공헌이익률 = 고정원가 + 목표이익

(3) 세금 반영 − 단일세율

등식법	① 세전이익 − 법인세납부액 = 세후이익 ② 세전이익 − 세전이익 × 세율 = 세후이익 ③ 세전이익 × (1 − 세율) = 세후이익 ④ 세전이익 $= \frac{\text{세후이익}}{1 - \text{세율}}$ (단, 세율은 단일의 법인세율)
공헌이익법	① 목표공헌이익 = 고정원가 + 세전이익 ② 목표판매량 × 단위당 공헌이익 = 고정원가 + 세전이익 ③ 목표매출액 × 공헌이익률 = 고정원가 + 세전이익

3. 안전한계

(1) 안전한계(M/S, margin of safety)

실제 또는 예산매출액이 손익분기점 매출액을 초과하는 금액이다.

$$안전한계 = 매출액 - 손익분기점\ 매출액$$

(2) 안전한계율(M/S 비율, margin of safety ratio)

매출액에 대한 안전한계의 비율을 안전한계율(M/S 비율, margin of safety ratio)이라 하는데, 이는 매출액 중 몇 %가 안전한계인지를 나타내 준다.

$$안전한계율 = \frac{안전한계}{매출액} = \frac{안전한계판매량}{판매량} = \frac{영업이익}{공헌이익}$$

$$\begin{aligned}
안전한계율 &= \frac{안전한계}{매출액} = \frac{매출액 - 손익분기점매출액}{판매량} &&: 매출액기준(1식) \\
&= \frac{판매량 - 손익분기점판매량}{판매량} &&: 판매량기준(2식) \\
&= \frac{공헌이익 - 손익분기점공헌이익(고정원가)}{공헌이익} &&: 공헌이익기준(3식) \\
&= \frac{영업이익}{공헌이익} &&: (4식)
\end{aligned}$$

재무레버리지
이자비용이 지레(레버리지)역할을 하여 영업이익(EBIT)의 변화율보다 당기순이익(NI)의 변화율이 확대되어 나타나는 현상이다.

결합레버리지
영업레버리지 + 재무레버리지

4. 원가구조와 영업레버리지분석

(1) 원가구조

총원가에서 변동원가와 고정원가가 차지하는 상대적인 비중이다.

(2) 영업레버리지

고정원가가 지레(레버리지)역할을 하여 매출액의 변화율 보다 영업이익의 변화율이 확대되어 나타나는 현상이다.

(3) 원가구조와 영업레버리지

① 고정원가의 비중이 큰 기업일수록 영업레버리지 효과가 크게 나타난다.
② 한 기업의 영업레버리지 효과는 손익분기점 부근에서 가장 크게 나타나며 매출액이 증가할수록 감소한다.

- DOL = 4: 매출액이 1% 변하면 영업이익은 4% 변한다는 의미이다.
- 고정원가(FC) = 0 DOL = 1: 매출액의 변화율 = 영업이익의 변화율

(4) 영업레버리지 효과의 측정(영업레버리지도: DOL)

$$영업레버리지도(DOL) = \frac{영업이익변화율}{매출액변화율} = \frac{공헌이익}{영업이익} = \frac{1}{안전한계율}$$

5. 현금흐름분기분석

현금유입액과 현금유출액이 일치하는 판매량 또는 매출액이다.

매 출 액 = 변동원가 + (고정원가 − 비현금고정원가)
(매출액: 현금유입액, 변동원가 + (고정원가 − 비현금고정원가): 현금유출액)

매 출 액 = 변동원가 + (고정원가 − 비현금고정원가) + 법인세
(매출액: 현금유입액, 변동원가 + (고정원가 − 비현금고정원가) + 법인세: 현금유출액)

- 영업이익 × (1 − 법인세율) + 감가상각비 = 0
- (매출액 − 변동원가 − 고정원가) × (1 − 법인세율) + 감가상각비 = 0
- (공헌이익 − 고정원가) × (1 − 법인세율) + 감가상각비 = 0
- (현금흐름분기판매량 × 단위당공헌이익 − 고정원가) × (1 − 법인세율) + 감가상각비 = 0

단원별 객관식문제

01 ㈜해커는 급여체계를 일부 변경하려고 고민하고 있는데, 현재의 자료는 다음과 같다.

• 제품 단위당 판매가격	₩100
• 공헌이익률	60%
• 연간고정원가	
• 임차료	₩15,000
• 급여	₩21,000
• 광고선전비	₩12,000

만약 매출액의 10%를 성과급으로 지급하는 방식으로 급여체계를 변경한다면 고정급여는 ₩6,000이 절약될 것으로 추정하고 있다. 급여체계의 변경으로 인한 손익분기점 판매량의 변화는?

① 40단위 증가　　② 40단위 감소
③ 50단위 증가　　④ 50단위 감소

해설　　정답 ①

(1) 급여체계 변경 전 손익분기점 판매량 = ₩48,000 ÷ 60 = 800개
(2) 급여체계 변경 후 손익분기점 판매량 = ₩42,000 ÷ 50 = 840개
(3) 손익분기점 판매량의 변화 = 840개 - 800개 = 40개 증가

02 단일제품 A를 제조하는 ㈜해커의 제품생산 및 판매와 관련된 자료는 다음과 같다.

• 총판매량	200개
• 총공헌이익	₩200,000
• 총고정원가	₩150,000

법인세율이 20%일 경우, 세후 순이익 ₩120,000을 달성하기 위한 제품 A의 판매수량은? (단, 제품 A의 단위당 공헌이익은 동일하다)

① 120개　　② 150개
③ 270개　　④ 300개

해설　　정답 ④

(1) 단위당 공헌이익: ₩200,000 ÷ 200 = ₩1,000/개
(2) 세전 영업이익: ₩120,000 ÷ (1 - 0.2) = ₩150,000
(3) 세후순이익을 달성하기 위한 판매수량: ₩1,000 × Q - ₩150,000 = ₩150,000
∴ Q = 300개

03 ㈜해커는 개당 ₩100에 호빵을 팔고 있으며, 사업 첫 달의 매출액은 ₩10,000, 총변동원가는 ₩6,000, 총고정원가는 ₩2,000이다. 이에 대한 설명으로 옳지 않은 것은? (단, 기초재고와 기말재고는 동일하다)

① 공헌이익률은 60%이다.
② 단위당 공헌이익은 ₩40이다.
③ 손익분기점 매출액은 ₩5,000이다.
④ 매출이 ₩8,000이라면 이익은 ₩1,200이다.

해설 정답 ①

단위당 변동원가 ₩60(₩6,000 ÷ 100개), 단위당 공헌이익 ₩40(₩100 - ₩60)
공헌이익률: ₩40 ÷ ₩100 = 40%

(선지분석)
② 단위당 공헌이익: ₩100 - ₩60 = ₩40
③ 손익분기점 매출액: ₩2,000 ÷ 40% = ₩5,000
④ 이익: ₩8,000 × 40% - ₩2,000 = ₩1,200

04 ㈜해커의 6월 제품 판매가격과 원가구조는 다음과 같다. ㈜해커가 세전순이익 ₩4,000을 달성하기 위한 6월 매출액은? (단, 판매량은 생산량과 동일하며, 법인세율은 30%이다)

- 제품 단위당 판매가격: ₩5
- 공헌이익률: 20%
- 고정원가: ₩10,000

① ₩60,000
② ₩70,000
③ ₩80,000
④ ₩90,000

해설 정답 ②

목표이익을 달성하기 위한 매출액을 S라 하면, S × 20% - ₩10,000 = ₩4,000
∴ S = ₩70,000

05 ㈜해커의 손익분기점매출액이 ₩100,000,000, 고정원가는 ₩40,000,000, 단위당 변동원가는 ₩1,200일 때, 단위당 판매가격은?

① ₩1,500
② ₩1,600
③ ₩1,800
④ ₩2,000

해설 정답 ④

손익분기점공헌이익 = ₩40,000,000이므로 공헌이익률은 40%이고, 변동비율은 60%이다.
∴ 단위당 판매가격: ₩1,200 ÷ 60% = ₩2,000

06 다음은 단일제품인 곰인형을 생산하고 있는 ㈜해커의 판매가격 및 원가와 관련된 자료이다. 법인세율이 20%인 경우, 세후 목표이익 ₩200,000을 달성하기 위한 곰인형의 판매수량은? (단, 생산설비는 충분히 크며, 생산량과 판매량은 같다고 가정한다)

• 단위당 판매가격	₩1,000	• 단위당 직접재료원가	₩450
• 단위당 직접노무원가	₩200	• 단위당 변동제조간접원가	₩100
• 단위당 변동판매원가	₩50	• 고정원가 총액	₩300,000

① 2,250단위
② 2,500단위
③ 2,750단위
④ 3,000단위

해설 정답 ③

(1) 수익 · 원가구조

단위당 판매가격	₩1,000
단위당 변동원가	(800)
단위당 공헌이익	₩200
총고정원가	₩300,000

(2) 목표이익 달성을 위한 판매수량

(₩200 × Q − ₩300,000)(1 − 0.2) = ₩200,000

∴ Q = 2,750단위

07 ㈜해커는 한 종류의 휴대전화기를 제조 · 판매한다. 휴대전화기의 단위당 판매가격은 ₩80이고, 단위당 변동원가는 ₩60, 고정원가는 ₩240,000이며, 관련범위는 18,000단위이다. 다음 중 옳지 않은 것은? (단, 세금은 고려하지 않는다)

① 휴대전화기의 단위당 공헌이익률은 25%이다.
② 매출수량이 12,000단위이면 안전한계는 0이다.
③ 제품 단위당 변동원가가 ₩10 감소하면 손익분기점 판매량은 4,000단위가 감소한다.
④ 고정원가가 ₩192,200으로 감소하면 공헌이익률은 20% 증가한다.

해설 정답 ④

고정원가의 감소는 공헌이익률에 영향을 미치지 아니한다.

선지분석

① 공헌이익율(CMR): 20/80 = 25%
② 안전한계 = 매출액 − 손익분기점매출액(₩240,000/0.25 = ₩960,000)
∴ 안전한계: 12,000 × ₩80 − ₩960,000 = 0
③ 손익분기점판매수량: ₩240,000/₩30 = 8,000개
따라서, 손익분기점판매량은 12,000개에서 8,000개가 되므로, 4,000개가 감소한다.

08 A제품의 매출액이 ₩500,000이고, 제품 단위당 변동원가가 ₩6, 판매가격이 ₩8이다. 고정원가가 ₩100,000일 경우 안전한계는?

① ₩25,000
② ₩100,000
③ ₩125,000
④ ₩275,000

해설 정답 ②

안전한계 = 현재매출액 - 손익분기점매출
(1) 손익분기점매출: ₩100,000 ÷ 0.25(*1) = ₩400,000
(*1) 공헌이익률 = 단위당 공헌이익 ÷ 판매가격
(2) 안전한계: ₩500,000 - ₩400,000 = ₩100,000

09 ㈜해커는 A투자안과 B투자안 중에서 원가구조가 이익에 미치는 영향을 고려하여 하나의 투자안을 선택하고자 한다. 두 투자안의 예상 판매량은 각 100단위이고, 매출액 등의 자료가 다음과 같을 때, 두 투자안에 대한 비교 설명으로 옳은 것은?

	A투자안	B투자안
매 출 액	₩20,000	₩20,000
변동원가	₩12,000	₩10,000
고정원가	₩4,000	₩6,000
영업이익	₩4,000	₩4,000

① A투자안의 변동비율이 B투자안의 변동비율보다 작다.
② A투자안의 단위당 공헌이익이 B투자안의 단위당 공헌이익보다 크다.
③ A투자안의 손익분기점 판매량이 B투자안의 손익분기점 판매량보다 적다.
④ A투자안의 안전한계는 B투자안의 안전한계보다 작다.

해설 정답 ①

(1) 수익 · 원가구조

	A투자안	B투자안
단위당 판매가격	₩200	₩200
단위당 변동원가	(120)	(100)
단위당 공헌이익	₩80	₩100
고정원가	₩4,000	₩6,000
변동비율	60%	50%

(2) 손익분기점 판매량
㉠ A투자안: $\frac{₩4,000}{₩80}$ = 50개
㉡ B투자안: $\frac{₩6,000}{₩1,000}$ = 60개

(3) 안전한계
㉠ A투자안: ₩20,000 - ₩200 × 50개 = ₩10,000
㉡ B투자안: ₩20,000 - ₩200 × 60개 = ₩8,000

10

㈜해커는 제품 X, Y를 생산하고 있으며 관련 자료는 다음과 같다.

구분	제품 X	제품 Y
단위당 판매가격	₩110	₩550
단위당 변동원가	₩100	₩500
총 고정원가	₩180,000	

㈜해커는 제품 X, Y를 하나의 묶음으로 판매하고 있으며, 한 묶음은 X제품 4개, Y제품 1개로 구성된다. 손익분기점에서 각 제품의 판매량은?

	제품 X	제품 Y
①	1,000개	1,000개
②	2,000개	2,000개
③	2,000개	8,000개
④	8,000개	2,000개

해설 정답 ④

(1) X제품 4개, Y제품 1개가 하나의 묶음으로 판매되므로 묶음의 공헌이익을 구하면 다음과 같다.

CMset = ₩10 × 4개 + ₩50 × 1개 = ₩90

(2) 손익분기점 판매량

₩90 × Qset − ₩180,000 = 0

∴ Qset = 2,000개
- X: 2,000개 × 4개 = 8,000개
- Y: 2,000개 × 1개 = 2,000개

10 관련원가 의사결정

1. 관련원가와 의사결정

(1) 의사결정(Decision Making: DM) – 최적대안 선택 → 영업이익 극대화

① 기업 경영과 관련된 의사결정은 그 특성에 따라 여러 종류로 분류할 수 있지만 관리회계 분야에서 주로 다루게 되는 것이 단기적 특수의사결정이다. 단기적 특수의사결정에서 관련수익의 분석은 비교적 고려할 사항이 적은 반면, 관련원가의 분석은 고려할 사항이 많아서 그 내용이 다소 복잡하다. 따라서 단기적 특수의사결정에서는 주로 관련원가의 분석에 초점이 맞추어지는데 이런 이유로 단기적 특수의사결정을 보통 관련원가분석이라 부른다.

② 관련수익이란 의사결정과 관련이 있는 수익으로, 고려 중인 대안들 사이에 차이가 나는 미래현금수익을 말한다.

③ 반면 관련원가란 의사결정과 관련이 있는 원가로, 고려 중인 대안들 사이에 차이가 나는 미래현금지출원가를 말한다. 관련원가를 구체적으로 나타내면 아래와 같은데 관련원가분석을 수행할 때 고정원가는 특별한 언급이 없는 한 변하지 않는 원가이므로 비관련원가로 간주한다.

④ 관련원가분석의 주제들 중 공무원 회계학 시험에서 주로 다루어지는 것은 특별주문과 제한된 자원의 사용이므로 아래에서는 이 두 가지 주제에 대해 자세히 살펴보겠다.

(2) 의사결정 접근방법

① 총액접근법

② 증분접근법(차액접근법) → 관련항목

(3) 관련항목

- **관련수익**: 두 대안 간 차이가 있는 수익 = 증분수익
- **관련원가**: 두 대안 간 차이가 있는 원가 = 증분원가(증분비용), 차액원가, 회피가능원가
  → 미래(예정)원가 금액상 차이

① **기회원가(기회비용)**: 차선의 대안을 포기함으로써 상실한 효익(수익, 순현금유입)
= 차선의 대안 선택 시 얻을 수 있는 효익(수익, 순현금유입)
→ 최적대안 선택에 따라 차선의 대안을 포기함에 따라 발생함

┌ 차선의 대안 순현금유입액: 최적대안 선택에 따른 기회비용
└ 최적대안 순현금유입액 – 차선의 대안 순현금유입액: 최적대안 선택 시 증분순현금유입액(증분이익)

② **비관련원가**: 두 대안 간 차이가 없는 원가(기회비용), 회피불능원가(예 기발생원가 = 매몰원가, 역사적 원가)

표로 확인하기 | 관련원가와 비관련원가

<table>
<tr><th colspan="3">원가</th></tr>
<tr><td colspan="2">미래원가</td><td rowspan="2">과거에 발생된 원가
(매몰원가, 역사적원가)</td></tr>
<tr><td>각 대안 간에 차이가 있는 원가</td><td>각 대안 간에 차이가 없는 원가</td></tr>
<tr><td>관련원가</td><td colspan="2">비관련원가</td></tr>
</table>

2. 특수의사결정 - 질적 정보(= 정성적 정보)도 고려

기업은 고객으로부터 제품을 대량 구매하겠으니 가격을 할인해달라는 제의를 받는 경우가 있다. 이러한 제의를 특별주문이라 하는데 기업은 이 특별주문을 수락할 것인가 또는 거절할 것인가를 결정해야 한다.

(1) 특별주문에 따른 의사결정

특별주문 수락여부를 결정할 때 가장 일반적으로 쓰이는 방법은 증분수익과 증분비용을 이용하는 것이다. 증분수익에서 증분비용을 차감하여 증분이익이 '0' 보다 클 경우에는 특별주문을 수락하고 그렇지 않을 경우에는 거절한다. 특별주문을 수락할 경우 관련된 증분수익과 증분비용으로는 다음과 같은 것들이 있다.

증분수익	
특별주문을 수락할 경우 공헌이익 증가액	×××
증분비용	
(문제에서 제시할 경우)고정원가 증가액	×××
(유휴설비가 부족할 경우)임차료	×××
(유휴설비가 부족할 경우)외부구입원가	×××
(유휴설비가 부족할 경우)기회비용	×××
증분이익	×××

특별주문 수락 여부를 결정할 경우 가장 먼저 고려해야 할 사항은 '특별주문을 수락하기 위한 유휴생산능력이 존재하는가?'이다.

① **특별주문을 수락하기 위한 유휴생산능력이 존재하는 경우:** 유휴생산능력이 존재한다면 유휴 설비를 이용해 특별주문분을 생산하므로 특별주문으로 인한 공헌이익 증가액이 증분수익이 될 것이고, 문제에서 특별한 자료가 제시되지 않는 한 증분비용은 존재하지 않는다.

증분수익	
특별주문을 수락할 경우 공헌이익 증가액	×××
증분비용	
(문제에서 제시할 경우) 고정원가 증가액	×××
증분이익	×××

② **특별주문을 수락하기 위한 유휴생산능력이 존재하지 않는 경우:** 유휴생산능력이 존재하지 않는다면 생산능력 부족분을 해결하기 위한 추가비용이 필요하다. 예를 들어, 특별주문이 500개만큼 들어왔는데, 현재 유휴설비가 300개 분량밖에 존재하지 않는다면 설비가 200개만큼 부족한 경우이고, 이 부족한 부분을 해결하기 위한 추가비용이 지출되어야 하는데, 추가비용의 종류에는 다음과 같은 것들이 있다.

방법 1	생산능력의 확장	감가상각비 또는 임차료 증가
방법 2	외부에서 구입	외부구입원가 증가
방법 3	정규판매량을 포기	기존 정규시장의 이익 감소분(기회비용) 발생

증분수익		
특별주문을 수락할 경우 공헌이익 증가액		×××
증분비용		
(문제에서 제시할 경우)고정원가 증가액		×××
임차료	(또는)	×××
외부구입원가	(또는)	×××
기회비용		×××
증분이익		×××

(2) 기회비용

① 기회비용은 특정 대안을 선택하기 위하여 포기해야 하는 효익(순현금유입액) 중 가장 큰 금액이다. 예를 들어, 기업이 생산설비를 현재 용도에 사용하면 영업이익 ₩100,000이 예상되고, A기업에 임대하면 임대료 ₩50,000, B기업에 임대하면 임대료 ₩150,000이 예상된다고 하자. 이때 회사가 생산설비를 현재 용도에 사용하는 것으로 결정하였다면, A기업에서 받을 수 있는 임대료와 B기업에서 받을 수 있는 임대료를 포기하는 것인데, B기업으로부터 받을 수 있는 임대료가 더 큰 값이므로 기회비용은 ₩150,000이 된다.

② 특별주문의 사례는 증분수익과 증분비용을 분석해 문제를 해결하는데 증분비용의 가장 대표적인 형태가 바로 기회비용이다. 증분수익에는 수익의 증가액뿐만 아니라 비용의 감소액도 포함된다. 마찬가지로 증분비용에는 비용의 증가액뿐만 아니라 수익의 감소액도 포함된다.

주의

공무원 회계학 시험에서는 주로 기회비용을 부담하는 방법이 출제된다.

③ 기회비용을 부담한다는 것은 특별주문을 받아들이기 위해 정규시장의 판매를 줄여 생산능력을 확보한 후 이를 이용해 특별주문분을 생산하겠다는 것이다. 따라서 기회비용을 부담하게 되면 정규시장의 판매량을 감소시키게 되고 이에 해당하는 만큼 기업의 공헌이익이 감소하게 된다. 공헌이익 감소분은 수익의 감소이므로 이는 증분비용에 포함되어야 한다.

특별주문 수락을 위한 설비 부족 → 정규시장판매 감소(특별주문 생산능력 확보)
→ 기회비용 발생 → 증분비용에 반영

3. 제한된 자원의 사용

(1) 기업이 제품을 생산하기 위해서는 여러 생산요소들이 필요한데, 이러한 생산요소들의 사용가능량이 제품에 대한 시장수요를 충족시키기에 충분하지 않은 경우가 있다. 이러한 경우에는 충분하지 않은 생산요소를 어떤 제품의 생산에 먼저 투입할지를 결정해야 하는데 이를 제한된 자원의 사용이라 부른다.

(2) 제한된 자원이 있는 경우에도 지금까지와 마찬가지로 의사결정의 목표는 공헌이익을 최대화하는 것이고, 공헌이익을 최대화하기 위해서는 제한된 자원을 효과적으로 사용하는 것이 가장 중요하다. 따라서 제한된 자원이 존재하는 경우에는 제한된 자원단위당 공헌이익이 큰 제품부터 순서대로 제한된 자원을 투입하여 생산하여야 한다.

주의
제한된 자원단위당 공헌이익이 생산순서를 결정하는 기준. 단위당 공헌이익이 아님에 유의해야 한다.

단원별 객관식문제

01 ㈜해커는 화장품 제조회사로 화장품을 담는 용기도 함께 생산하고 있다. 화장품 용기 생산량은 매년 1,000개이며, 1,000개 조업도 수준하에서 화장품 용기의 단위당 제조원가는 아래의 표와 같다. 그런데 외부의 용기 생산업자가 화장품 용기 1,000개를 개당 ₩95에 공급하겠다고 제안하였다. ㈜해커가 이 제안을 수락할 경우 화장품 용기 생산에 사용되는 설비를 연 ₩10,000에 다른 회사에 임대할 수 있다. 한편, 화장품 용기를 외부에서 구입하더라도 고정제조간접원가의 50%는 계속해서 발생된다. ㈜해커는 외부공급업자의 제안을 수락할 경우 연간 이익은 얼마만큼 증가 혹은 감소하겠는가?

구분	단위당 원가
직접재료원가	₩30
직접노무원가	₩20
변동제조간접원가	₩10
고정제조간접원가	₩40
화장품 용기의 단위당 제조원가	₩100

① ₩5,000 증가
② ₩5,000 감소
③ ₩10,000 증가
④ ₩10,000 감소

해설 정답 ②

(1) 용기를 외부에서 구입할 경우 제조원가가 단위당 ₩80(30 + 20 + 10 + 40 × 50%)만큼 절감된다.
(2) 증분수익: ₩80 × 1,000개(제조원가절감액) + ₩10,000(임대료) = ₩90,000
(3) 증분비용: ₩95 × 1,000개(외부구입원가) = ₩95,000
(4) 증분이익: ₩90,000 - ₩95,000 = (-)₩5,000

02 의사결정을 할 때 특정 대안의 선택에 영향을 주지 않는 비관련원가(irrelevant cost)에 해당하는 것은?

① 매몰원가
② 차액원가
③ 증분원가
④ 기회원가

해설 정답 ①

매몰원가, 기발생원가, 비차액원가는 비관련원가이다.

03

㈜해커는 화재로 인하여 100개의 재고자산이 파손되었다. 파손된 재고자산은 ₩40,000에 처분하거나, 혹은 ₩20,000의 수선비를 지출하여 수선을 하면 ₩70,000에 처분할 수 있다. 그러나 ㈜해커의 생산부장은 위의 파손된 재고자산을 생산과정에 재투입하여 재가공하기로 하였다. ㈜해커의 파손된 재고자산의 재가공에 따른 기회비용은?

① ₩70,000
② ₩50,000
③ ₩40,000
④ ₩20,000

해설 정답 ②

생산과정에 재투입, 그대로 처분, 수선 후 처분 중 재투입을 선택하였으므로 기회원가는 나머지 대안 중 큰 금액이므로
Max[그대로 처분 (₩40,000), 수선 후 처분(₩70,000 - ₩20,000)]
∴ 기회비용: 수선 후 처분 ₩50,000

04

㈜해커의 연간 최대 생산능력은 20,000단위이다. 20×1년 말에 추정한 20×2년도 예상손익에 관한 자료는 다음과 같다.

매 출 액:	12,000단위 × ₩500 =	₩6,000,000
변동원가:	12,000단위 × ₩210 =	(2,520,000)
공헌이익		₩3,480,000
고정원가		(1,100,000)
영업이익		₩2,380,000

20×2년 초 한 구매업자로부터 단위당 ₩400에 제품 9,000단위를 구입하게다는 신규제안을 받았다. ㈜해커가 이 제안을 수락한다면, 생산능력의 제약으로 인해 기존고객에 대한 판매를 일정부분 포기해야 한다. ㈜해커의 단위당 변동원가와 총고정원가는 불변이라고 가정한다. 이 제안을 수락할 경우 한국회사의 차액이익(차액수익에서 차액원가를 차감한 것)은 얼마인가?

① ₩320,000
② ₩1,420,000
③ ₩1,710,000
④ ₩3,100,000

해설 정답 ②

(1) 증분수익: 9,000단위 × ₩400 = ₩3,600,000
(2) 증분비용: ㉠ + ㉡ = ₩2,180,000
 ㉠ 변동제조원가: 9,000단위 × ₩210 = ₩1,890,000
 ㉡ 정규매출감소로 인한 공헌이익 상실액: 1,000개 × (₩500 - ₩210) = ₩290,000
(3) 증분이익: ₩3,600,000 - ₩2,180,000 = ₩1,420,000

05 ㈜해커는 ㈜한강으로부터 20×2년 1년간 5,000개의 제품을 개당 ₩110에 구매하겠다는 특별주문을 받았다. 이 특별주문은 받아들일 경우 추가로 소요되는 고정 판매비와 관리비 증가분은 ₩20,000이고, 이외의 원가 형태에는 영향을 주지 않는다. 특별주문 전의 생산판매와 관련한 다음의 자료를 이용할 때, ㈜해커가 5,000개 제품 전체의 특별주문을 수락하는 경우, 20×2년도 손익에 미치는 영향은?

- ㈜해커의 최대생산능력은 13,000개이고 특별주문을 받아들이더라고 추가적인 설비 증설은 없다.
- 매년 평균 10,000개의 제품을 시장의 수요에 의해 생산판매해 왔고, 특별주문을 수락하더라도 이를 제외한 시장의 수요에는 변화가 없다.
- 일반적인 판매방식의 제품 판매가격 및 발생원가

제품단위당 판매가격	₩150
변동제조원가	₩90
변동 판매비와 관리비	₩10

- 생산량과 판매량은 동일하다.
- 세금은 없다고 가정한다.

① ₩20,000 감소
② ₩70,000 감소
③ ₩30,000 증가
④ ₩80,000 증가

해설 정답 ②

(1) 증분수익: 5,000개 × ₩110 = ₩550,000
(2) 증분비용: ㉠ + ㉡ + ㉢ + ㉣ = ₩620,000
㉠ 변동제조원가: 5,000개 × ₩90 = ₩450,000
㉡ 변동판매비와 관리비: 5,000개 × ₩10 = ₩50,000
㉢ 고정판매비와 관리비: ₩20,000
㉣ 정규매출감소로 인한 공헌이익 상실액: 2,000개 × (₩150 − ₩90 − ₩10) = ₩100,000
(3) 증분이익(손실): ₩550,000 − ₩620,000 = ₩(70,000)

06 다음은 ㈜해커의 제품별 예산자료의 일부이다.

	제품 A	제품 B
단위당 판매가격	₩400	₩500
단위당 변동원가	₩150	₩300
단위당 기계시간	4시간	2시간
최대 수요량(연간)	100단위	200단위

사용 가능한 총 기계시간이 연간 500시간일 때, 이익을 극대화하기 위해서는 두 제품을 각각 몇 단위씩 생산 · 판매하여야 하는가?

	제품 A	제품 B
①	25단위	150단위
②	25단위	200단위
③	50단위	150단위
④	50단위	200단위

해설 정답 ②

	제품 A	제품 B
단위당 판매가격	₩400	₩500
단위당 변동원가	₩150	₩300
단위당 공헌이익	₩250	₩200
단위당 제약자원	4시간	2시간
제약자원당 공헌이익	₩62.5	₩100
생산우선순위	②	①

따라서 제품 B를 수요만큼 생산하고(200단위) 남은 시간에 제품 A(25단위[*1])를 생산해야 한다.

[*1] {500시간 − (200단위 × 2시간)} ÷ 4시간 = 25단위

11 투자중심점의 성과평가

1. 투자수익률(ROI)

(1) 수식

$$ROI = \frac{영업이익}{투자액} = \frac{영업이익}{매출액} \times \frac{매출액}{투자액} = 매출액이익률 \times 자산회전율$$

(2) 장 · 단점

장점	투자에 대한 규모와 수익성을 고려함
단점	목표불일치현상, 사업의 성격이 이질적인 경우 성과비교 무의미

2. 잔여이익(RI)

(1) 수식

RI = 영업이익 − 투자액 × 최저필수수익률

(2) 장 · 단점

장점	목표일치, 사업의 성격이 이질적인 경우 최저필수수익률의 조정에 따른 성과비교 가능
단점	투자에 대한 규모를 고려하지 못함(규모가 클수록 유리)

3. 경제적부가가치(EVA)

(1) 수식

EVA = 영업이익 × (1 − 세율) − 투하자본 × 가중평균자본비용

① 투하자본

비유동부채 + 자기자본 = 총자산 − 유동부채 = 비유동자산 + (유동자산 − 유동부채)

② 가중평균자본비용(WACC)

$$WACC = \frac{자기자본}{자기자본 + 타인자본} \times 자기자본비용 + \frac{타인자본}{자기자본 + 타인자본} \times 타인자본비용 \times (1 - 세율)$$

③ 자기자본과 타인자본의 구성비율 계산 시 시장가치(Market Value)에 의해 계산해야 한다.

(2) **장 · 단점**

장점	① 영업, 재무, 투자활동의 성과인 당기순이익에 비해 기업 고유의 영업활동과 관련된 가치 증가를 파악할 수 있음 ② EVA에 의해 경영자의 성과를 측정하면 주주의 부를 극대화할 수 있도록 동기부여가 가능
단점	① 회계상 영업이익을 기초로 계산되므로 발생주의의 한계점을 가지고 있음 ② 투자규모에 대한 효과를 고려하지 못함

단원별 객관식문제

01 ㈜해커는 세 개의 사업부 (가), (나), (다)를 운영하고 있다. 각 사업부에 관한 영업자료와 요구되는 최저필수(요구)수익률은 다음과 같다. 단, 무위험수익률은 6%이고 최저필수(요구)수익률은 10%이다.

구분	(가)사업부	(나)사업부	(다)사업부
영업자산	₩1,000	₩5,000	₩30,000
영업이익	₩400	₩1,000	₩7,000

㈜해커의 각 사업부의 잔여이익은 각각 얼마인가?

	(가)사업부	(나)사업부	(다)사업부
①	₩300	₩500	₩4,000
②	₩340	₩700	₩5,200
③	₩400	₩1,000	₩7,000
④	₩500	₩1,500	₩10,000

해설 정답 ①

각 사업부의 잔여이익을 구하면 다음과 같다.
(1) 사업부: ₩400 - ₩1,000 × 10% = ₩300
(2) 사업부: ₩1,000 - ₩5,000 × 10% = ₩500
(3) 사업부: ₩7,000 - ₩30,000 × 10% = ₩4,000

02

㈜해커는 A와 B 두 개의 사업부가 있는데 다음은 성과평가와 관련된 자료이다.

구분	A사업부	B사업부
투자액	2,000억 원	4,000억 원
영업이익	400억 원	720억 원

㈜해커의 자본비용은 10%이며, 각 사업부에 대한 요구수익률도 10%이다. ㈜해커가 투자수익률과 잔여이익으로 사업부를 평가하는 경우 어떤 결과가 나타나는지 가장 옳은 것은?

① 두 평가방법 모두 A사업부가 더 우수하다.
② 두 평가방법 모두 B사업부가 더 우수하다.
③ 두 평가방법 모두 A와 B사업부 간의 성과에는 차이가 없다.
④ 투자수익률로 평가하는 경우에는 A사업부, 잔여이익으로 평가하는 경우에는 B사업부가 더 우수하다.

해설 정답 ④

(1) 투자수익률: 영업이익 ÷ 투자액(영업자산)
　㉠ A사업부: 400억 ÷ 2,000억 = 20%
　㉡ B사업부: 720억 ÷ 4,000억 = 18%
(2) 잔여이익: 영업이익 − 투자액(영어자산) × 최저필수수익률
　㉠ A사업부: 400억 − 2,000억 × 10% = 200억
　㉡ B사업부: 720억 − 4,000억 × 10% = 320억

12 최신관리회계

1. 목표원가계산(Target costing)

(1) 도입배경

① 고객이 원하는 다양한 기능을 담은 고품질의 제품을 저렴한 원가로 개발하여 지속적인 경쟁우위를 확보하기 위함이다.

② 품질 개선으로 고품질 달성 및 생산성 향상으로 저렴한 원가를 달성하기 위함이다.

전통적 원가계산은 소비자 의사 및 경쟁업체원가를 고려하지 않는다.

(2) 의의

① 기존의 원가관리인 생산성 향상은 대폭적인 원가절감을 달성하는 데 한계가 있기 때문에 제품 개발 초기단계에서 원가기획을 유도하는 새로운 원가관리기법이다.

② 제품의 수명주기의 단축에 따라 제조부문에서 생산성을 향상시킬 시간적인 여유가 없어진 것이 목표원가계산을 탄생시킨 주된 요인이며, 이에 따라 목표원가를 설정 · 달성하기 위해 제조이전(연구 · 개발 및 설계)단계에서 원가를 조정 · 관리하는 활동인 원가기획이 필요하게 된다.

목표원가계산
제조 이전 단계에서의 혁신적인 원가절감을 위한 원가관리기법이다.

(3) 실행방법

Target Cost = Target Price − Target Income

예상되는 시장가격(목표)으로부터 기업의 중 · 장기적인 목표이익을 차감하여 목표원가를 도출하며, 이와 같은 목표원가 달성 방법에는 가치공학, 동시설계, 게스트엔지니어링 등이 있다.

(4) 문제점

① 목표원가 달성 여부와 관련된 직원들의 부담이 있다.

② 제품 출시시기의 적시성 상실가능성이 존재한다.

2. 카이젠원가계산

(1) 의의

가치사슬 중 제조단계에서의 지속적이고 점진적인 공정개선을 통해 원가절감을 유도하는 원가관리기법이다.

(2) **표준원가와의 비교**

	표준원가계산	카이젠원가계산
목 적	원가통제(표준원가 달성)	원가절감(원가절감목표 달성)
책 임 자	공학자와 관리자	작업자
차 이 분 석	실제원가와 표준원가의 비교	실제절감액과 목표절감액의 비교
목표설정회수	1년 단위	보통 월 단위로 설정

3. 품질원가

(1) **의의**

기업이 제공하는 제품이나 서비스의 품질을 일정한 수준이 될 수 있도록 관리하기 위해 발생하는 모든 원가이다.

(2) **품질원가의 종류**

[통제원가]

① 예방원가: 불량품 생산을 예방하기 위한 원가
예 품질고려 제품설계비용, 공급업체평가비용, 작업자교육훈련비용 등

② 평가원가: 일정한 품질수준을 충족했는지 평가(검사)하기 위한 원가
예 원재료 · 재공품 · 제품 검사비용, 공정검사비용 등

[실패원가]

③ 내부실패원가: 고객에게 전달하기 전에 발견된 불량품과 관련된 원가
예 불량품재작업원가, 불량품폐기원가, 공손원가, 불량관련 공정중단비용 등

④ 외부실패원가: 고객에게 전달된 후에 발견된 불량품과 관련된 원가
예 보증수리비용, A/S센터운영비용, 불량품교환비용, 손해배상비용, 판매기회 상실 등

4. 균형성과표(BSC, Balanced Scorecard: 전략적 성과평가)

(1) **도입배경**

① 재무적 수치에 따른 성과평가의 한계점 인식: 재무적 수치는 모든 과정이 결합되어 나타난 종합적인 결과물이다. 따라서 그러한 결과물이 만들어진 과정이나 개별 성공요소에 대한 측정의 부재로 인한 한계점이 인식된다.

② 재무적 수치에 따른 성과평가는 단기적인 결과물만을 중시하는 풍토를 조성한다.

③ 성과평가에 사용되는 재무적 수치가 급변하는 경영환경을 제대로 반영하지 못한다.

(2) **의의**

① 단일 또는 소수의 재무적 지표에 의존하는 기존의 성과측정시스템이 변화하는 환경을 제대로 측정하지 못하는 문제를 극복하기 위하여 개발된 전략과 연계된 성과측정시스템이다.

② 비재무적 측정치로 파악되는 다양한 운영활동의 성과를 재무적 성과와 연결시키는 전략적 성과측정시스템이다.

(3) **강조점(균형을 강조) - 4가지 관점 상호간의 연관관계를 강조**

① 비재무적인 측정치가 재무적인 결과를 획득할 수 있도록 활용되어야 한다(비재무적 측정치와 재무적 측정치 간의 균형).

② 장기적인 목표와 단기적인 목표의 균형을 강조한다.

③ 기업의 전략을 구성원에게 명확히 전달하는 것을 강조한다(전략에 기여하는 비재무적인 측정치를 쉽고 명쾌하게 이해할 수 있으므로 기업 전략에 대한 구성원의 커뮤니케이션과 참여가 가능해 짐).

(4) **균형성과표의 네 가지 관점**

① 재무적 관점 ← 수익증가

② 고객 관점 ← 고객만족

③ 내부프로세스 관점 ← 내부프로세스

④ 학습과 성장 관점 ← 인적자원개발

표로 확인하기 | 균형성과표 네 가지 관점과 성과측정지표

후행

<table>
<tr><th colspan="2">관점</th><th>성과측정지표</th></tr>
<tr><td colspan="2">재무적 관점</td><td>영업이익, 투자수익률, 잔여이익, 경제적 부가가치</td></tr>
<tr><td colspan="2">고객 관점</td><td>고객만족도, 시장점유율(기존고객유지율, 신규고객확보율), 고객수익성</td></tr>
<tr><td rowspan="3">내부 프로세스 관점</td><td>혁신</td><td>신제품의 수, 신제품 수익률, 신제품 개발기간</td></tr>
<tr><td>운영</td><td>• 시간: 고객대응시간, 정시납품성과, 제조주기효율성
• 품질: 불량률, 수율, 반품률
• 원가: 활동기준원가계산을 이용하여 계산</td></tr>
<tr><td>판매 후 서비스</td><td>현장도달시간, 수선요청건수, 불량건수, 하자보증원가</td></tr>
<tr><td colspan="2">학습과 성장 관점</td><td>• 인적 자원: 종업원의 교육수준, 만족도, 이직률
• 정보시스템: 정보시스템 활용도, 종업원당 PC 수
• 조직의 절차: 종업원당 제안채택률, 보상정도</td></tr>
</table>

선행

단원별 객관식문제

01 균형성과표(BSC, balanced scorecard)에 대한 설명으로 옳지 않은 것은?

① 단기적 성과지표와 장기적 성과지표에 대한 경영자의 균형적인 관심을 유도한다.
② 조직의 성공요소로서 유형의 자원뿐 아니라 무형의 자원에 대한 구성원들의 관심을 증가시킨다.
③ 비재무적 성과지표에 따른 전통적인 성과관리의 단점을 개선하기 위하여 재무적 성과지표에 집중하는 성과관리를 강조한다.
④ 조직의 전략을 포괄적인 성과지표로 전환하여 측정함으로써 전략경영 실행의 기본적인 틀을 제공한다.

해설 정답 ③

비재무적 측정치와 재무적 측정치 간의 균형을 강조한다.

02 균형성과표(BSC)에 관한 다음의 설명 중 가장 타당하지 않은 것은?

① 균형성과표는 재무적인 성과지표를 중심으로 하는 전통적인 성과측정제도의 문제점을 보완할 수 있는 성과측정시스템으로 인식되고 있다.
② 균형성과표는 조직의 비전과 전략을 성과지표로 구체화함으로써 조직의 전략수행을 지원한다.
③ 균형성과표는 일반적으로 재무관점, 고객관점, 내부프로세스관점, 학습과 성장관점의 다양한 성과지표에 의하여 조직의 성과를 측정하고자 한다.
④ 균형성과표는 조직의 수익성을 최종적인 목표로 설정하기 때문에 4가지 관점의 성과지표 중에서 학습과 성장관점의 성과지표를 가장 중시한다.

해설 정답 ④

균형성과표의 목표는 조직의 비전과 전략으로부터 도출되고 4가지 관점에서 조직의 성과를 평가하며 그 상호간의 균형을 강조한다.

03 균형성과표(BSC)에 관한 설명으로 옳지 않은 것은?

① 조직구성원들이 조직의 전략을 이해하여 달성하도록 만들기 위해, 균형성과표에서는 전략과 정렬된 핵심성과지표(Key Performance Indicators)를 설정한다.
② 전략 달성에 초점을 맞춘 조직을 구성하여, 조직구성원들이 전략을 달성하는 데 동참할 수 있도록 유도한다.
③ 균형성과표에서 전략에 근거하여 도출한 재무적 성과측정치는 비재무적 성과측정치의 선행지표가 된다.
④ 조직구성원들은 전략 달성을 위한 의사소통 수단으로 핵심성과지표를 사용한다.

해설 정답 ③

재무적 성과측정치는 비재무적 성과측정치의 후행지표의 성격을 띈다.

04 **전략적 원가관리에 관한 설명으로 옳지 않은 것은?**

① 목표원가계산(target costing)은 제품개발 및 설계단계부터 원가절감을 위한 노력을 기울여 목표원가를 달성하고자 한다.
② 카이젠원가계산(kaizen costing)은 제조이전단계에서의 원가절감에 초점을 맞추고 있다.
③ 품질원가계산(quality costing)은 예방원가, 평가원가, 실패원가 간의 상충관계에 주목한다.
④ 제품수명주기원가(product life-cycle cost)는 제품의 기획 및 개발·설계에서 고객서비스와 제품폐기까지의 모든 단계에서 발생하는 원가를 의미한다.

해설 정답 ②

카이젠원가계산(kaizen costing)은 제조단계에서의 원가절감에 초점을 맞추고 있다.

05 **다음 품질원가 항목 중 예방원가에 해당하는 것을 모두 고른 것은?**

ㄱ. 설계엔지니어링	ㄴ. 품질교육훈련
ㄷ. 재작업	ㄹ. 고객지원
ㅁ. 부품공급업체 평가	ㅂ. 작업폐물

① ㄱ, ㄴ, ㄷ
② ㄱ, ㄴ, ㅁ
③ ㄱ, ㅁ, ㅂ
④ ㄴ, ㄷ, ㄹ

해설 정답 ②

(1) 예방원가: 설계엔지니어링(ㄱ), 품질교육훈련(ㄴ), 부품공급업체 평가(ㅁ)
(2) 평가원가
- 내부실패원가: 재작업, 작업폐물
- 외부실패원가: 고객지원

06 **품질원가는 불량품 예방을 위해서나, 제품의 불량으로부터 초래되는 모든 원가를 의미한다. 품질원가와 관련된 설명으로 옳지 않은 것은?**

① 예방원가(prevention costs)와 평가원가(appraisal costs)는 불량제품이 생산되어 고객에게 인도되는 것을 예방하는 활동에 의해 발생한다.
② 내부실패원가(internal failure costs)와 외부실패원가(external failure costs)는 불량품이 생산됨으로써 발생하는 원가이다.
③ 일반적으로, 품질문제가 발생한 후에 이를 발견하고 해결하는 것보다 문제가 발생하기 전에 이를 예방하는 것이 총품질원가를 감소시킨다.
④ 예방 및 평가원가가 증가하면 내부실패원가는 감소하나 외부실패원가는 증가한다.

해설 정답 ④

예방 및 평가원가가 증가하면 모든(내부와 외부) 실패원가는 감소한다.

정부회계

01 정부회계의 기초

1. 정부회계의 특징

(1) 정부회계는 일반기업회계와는 달리 이윤추구가 목적이 아니라 공공서비스의 제공을 그 목표로 하는 비영리회계이다.

(2) 정부회계는 법률에 기초한 예산에 의해서 통제된다. 따라서 모든 지출은 예산에 의해서 집행되며, 집행자의 임의적 결정이 배제된다.

(3) 소유권 개념이 존재하지 않는다. 따라서 자본이라는 용어 대신 순자산이라는 용어를 사용한다. 순자산이란 정부의 재정활동 결과 예산을 집행하고 남은 잉여금을 의미한다.

(4) 정부조직은 다양한 설립목적을 가진 국가 조직들에 의해 공공서비스가 제공되기 때문에 일반회계, 특별회계, 기금과 같은 서로 다른 다수의 회계실체가 존재한다.

① **일반회계**: 조세수입을 주된 재원으로 공공재를 공급하는 정부의 가장 일반적이고 고유한 행정활동을 수행하는 회계 실체이다.

② **특별회계**: 일반회계와 달리 국가가 특정사업이나 특정자금을 운영 및 보유하거나 특정세입으로 특정세출에 충당할 목적으로 법률에 의해서 일반회계와 분리하여 설치 및 운영하는 회계이다. 기업특별회계와 기타특별회계로 구분된다(지방자치단체회계에서는 지방공기업특별회계와 기타특별회계로 구분).

㉠ **기타특별회계**: 특정한 세입으로 특정한 세출을 충당함으로써 일반회계와 구분하여 회계처리할 필요가 있을 때

예 농어촌구조개선특별회계, 환경개선특별회계 등

㉡ **기업특별회계**: 국가에서 특정한 사업을 운영하고자 할 때

예 우편사업특별회계, 우체국예금특별회계 등

③ **기금**: 세입, 세출 예산에 의지하지 않고 운용할 수 있는 특정사업을 위하여 보유하는 자금이다. 정부의 출연금 또는 법률에 따른 민간 부담금을 재원으로 한다. 특정 수입과 지출의 연계면에서는 특별회계와 유사하나 세입세출예산과 별도로 운영된다는 차이가 있다.

예 군인복지기금, 공무원연금기금, 국민연금기금, 고용보험기금, 국민체육진흥기금 등

<table>
<tr><th rowspan="3">구분</th><th colspan="3">예산</th><th rowspan="3">기금</th></tr>
<tr><th rowspan="2">일반회계</th><th colspan="2">특별회계</th></tr>
<tr><th>기타
특별회계</th><th>기업
특별회계</th></tr>
<tr><td>특징</td><td colspan="2">일반적이고 고유한 행정활동 수행
(행정형)</td><td colspan="2">개별적 보상관계, 독립채산제
(사업형)</td></tr>
<tr><td>목적</td><td>정부의 고유 기능</td><td colspan="2">특정세입으로
특정세출에 충당</td><td>특정 수입으로
특정지출에 운용</td></tr>
<tr><td>세입세출예산</td><td colspan="3">적용</td><td>미적용</td></tr>
<tr><td>재원</td><td colspan="2">조세수입</td><td>사용료수익 등</td><td>정부출연금, 민간부담금</td></tr>
</table>

(5) 정부는 영리기업과 달리 공익성을 목표로 하는 양질의 행정서비스를 제공하는 것이 운영목표이므로, 정부회계에서는 당기순이익을 산출하는 포괄손익계산서 대신 수행하는 정책사업별 원가를 산출하는 재정운영표를 작성한다.

(6) **결산의 수행**

① **기금결산보고서**: 중앙관서의 장이 아닌 기금관리주체는 회계연도마다 기금결산보고서를 작성하여 소관 중앙관서의 장에게 제출한다. 직전 회계연도기준 기금운용규모가 5천억 원 이상인 기금은 회계법인의 감사보고서를 첨부한다. 지방자치단체의 장은 결산검사에 필요한 서류를 제출할 때 재무제표에 공인회계사법에 따른 공인회계사의 검토의견을 첨부한다.

② **중앙관서결산보고서의 작성**: 중앙관서의 장은 회계연도마다 그 소관에 속하는 일반회계, 특별회계 및 기금을 통합한 중앙관서 결산보고서를 작성한다.

③ **국가결산보고서의 작성**: 기획재정부장관은 회계연도마다 중앙관서결산보고서를 통합하여 국가결산보고서를 작성하여 국무회의 심의를 거쳐 대통령이 승인한다.

2. 정부회계의 분류

(1) 회계처리방식에 따른 구분

구분	내용
예산회계	현금주의, 단식부기 방식의 세입세출결산서(기금: 수입지출결산서) 작성
재무회계	발생주의, 복식부기 방식의 재무제표 작성

(2) 재정활동주체에 따른 구분

구분	국가회계	지방자치단체회계
근거법령	① 국가재정법 제3장 결산 ② 국가회계법 및 시행령 ③ 국가회계기준에 관한 규칙 ④ 국가회계예규(기획재정부 예규)	① 지방회계법 ② 지방회계법 시행령 ③ 지방자치단체회계기준에 관한 규칙 ④ 지방자치단체 원가계산준칙 ⑤ 지방자치단체 재무회계 운영규정
보고실체	국가, 중앙관서, 기금	특별시, 광역시, 도, 특별자치도, 시, 군, 구
회계실체	일반회계, 특별회계, 기금	일반회계, 기타특별회계, 지방공기업특별회계, 기금
시행시기	2009. 1. 1	2007. 1. 1
결산(재무)보고서	결산개요, 세입세출결산, 재무제표, 성과보고서	
분류 및 평가	① 주민편의시설, 장기충당부채 등 계정과목 분류의 차이 존재 ② 기타 계정의 분류 및 평가방법 등은 대부분 일치	

구분	국가회계기준의 재무제표	지방자치단체회계기준의 재무제표
재무제표	재정상태표, 재정운영표, 순자산변동표, 주석	재정상태표, 재정운영표, 현금흐름표, 순자산변동표, 주석
부속서류	필수보충정보, 부속명세서	필수보충정보, 부속명세서

3. 재정상태표와 재정운영표 예시

(1) 재정상태표

재정상태표

자산		부채	
유동자산	×××	유동부채	×××
투자자산	×××	장기차입부채	×××
일반유형자산	×××	장기충당부채	×××
사회기반시설	×××	기타비유동부채	×××
무형자산	×××	부채계	×××
기타비유동자산	×××	순자산	
		기본순자산	×××
		적립금과 잉여금	×××
		순자산조정	×××
		순자산계	×××
자산계	×××	부채와 순자산 계	×××

(2) **재정운영표**

재정운영표

	Ⅰ. 프로그램(사업)순원가	
	프로그램(사업)총원가	프로그램별 배부 가능한 원가
(−)	프로그램(사업)수익	교환수익으로서 직접 추적이 가능한 수익
(+)	Ⅱ. 관리운영비	프로그램 수행을 지원하는 비용
(+)	Ⅲ. 비배분비용	프로그램에 직접적으로 대응하기 어려운 비용
(−)	Ⅳ. 비배분수익	프로그램에 직접적으로 대응하기 어려운 수익
=	Ⅴ. 재정운영순원가	
(−)	Ⅵ. 비교환(일반)수익 등	직접적인 반대급부 없이 발생하는 수익
=	Ⅶ. 재정운영결과	

- **프로그램수익:** 재화판매수익, 용역제공수익, 연금수익, 보험수익 등
- 프로그램에 대응되는 원가 중 행정운영성 경비는 관리운영비, 그 외의 원가는 프로그램총원가로 분류
- **비배분비용 및 비배분수익:** 이자비용(수익), 평가손익, 자산처분이익 등

4. 국고금회계

국고금이란 정부가 보유하는 현금 및 현금성자산을 뜻하는 것으로, 각 중앙관서의 장은 모든 세입을 기획재정부의 국고계정에 불입 후 예산배정을 통해 지출 재원을 마련한다. 따라서 일반회계와 기타특별회계의 경우 수익이 발생할 경우 국고금 계정에 불입되고, 지출이 발생할 경우 국고금 계정에서 지출되는 회계처리를 수행해야 한다. 기업특별회계와 기금은 국고금에서 제외한다.

사례 — 예제

법인세 ₩10,000을 신고납부 받은 경우

[국세청 − 일반회계]

(차) 국고이전지출	10,000	(대) 소득세 수익	10,000

[국고금 회계]

(차) 국고금(한국은행국가예금)	10,000	(대) 국고이전수입	10,000

국방부에서 용역비 ₩10,000을 지출하는 경우

[국방부 − 일반회계]

(차) 용역비	10,000	(대) 국고수입	10,000

[국고금 회계]

(차) 세출예산지출액	10,000	(대) 국고금(한국은행국가예금)	10,000

5. 국가회계와 지방자치단체회계의 비교

(1) 계정과목 등

구분	국가회계	지방자치단체회계
유산자산 등	유산자산은 필수보충정보로 공시	관리책임자산은 필수보충정보로 공시
주민편의시설	없음	있음
무형자산	별도 구분 표시	기타비유동자산에 포함
전비품	일반유형자산에 포함	없음
압수품과 몰수품	유동자산에 포함	없음
장기충당부채	있음	없음
퇴직급여충당부채	장기충당부채에 포함	기타비유동부채에 포함
연금, 보험, 보증 충당부채	장기충당부채에 포함	인식하지 않음
순자산	기본순자산, 적립금및잉여금, 순자산조정	고정순자산, 특정순자산, 일반순자산

(2) 무상취득

구분	국가회계	지방자치단체회계
관리전환	① 무상관리전환 취득원가: 장부금액 ② 유상관리전환 취득원가: 공정가액	모든 관리전환의 취득원가: 공정가액
기부채납	수익으로 인식	순자산의 증감

(3) 자산의 평가

구분	국가회계	지방자치단체회계
자산 감액손실 환입	재정운영순원가에 반영	규정 없음
유가증권	① 채무증권: 상각후 취득원가 ② 지분증권.투자증권: 취득원가 ③ 투자목적: 공정가액	장기투자증권: 총평균법을 적용한 취득원가
재고자산	저가법 인정	저가법 규정 없음
일반유형자산	공정가액 등으로 재평가 가능	재평가 인정 안 함

02 국가회계기준에 관한 규칙

제1장 총칙

제 1 조 목적

이 규칙은 「국가회계법」 제11조 제1항에 따라 국가의 재정활동에서 발생하는 경제적 거래 등을 발생 사실에 따라 복식부기 방식으로 회계처리하는 데에 필요한 기준을 정함을 목적으로 한다.

제 2 조 정의

이 규칙에서 사용하는 용어의 뜻은 다음과 같다.

1. "국가회계실체"란 「국가재정법」 제4조에 따른 일반회계, 특별회계 및 같은 법 제5조에 따른 기금으로서 중앙관서별로 구분된 것을 말한다.
2. "재정상태표일"이란 제7조에 따른 재정상태표의 작성 기준일을 말한다.
3. "공정가액"이란 합리적인 판단력과 거래의사가 있는 독립된 당사자 간에 거래될 수 있는 교환가격을 말한다.
4. "내부거래"란 재무제표를 작성할 때 상계(相計)되어야 하는 국가회계실체 간의 거래를 말한다.
5. "회수가능가액"이란 순실현가능가치와 사용가치 중 큰 금액을 말한다.

제 3 조 적용범위 등

① 이 규칙은 「국가재정법」 제4조에 따른 일반회계, 특별회계 및 같은 법 제5조에 따른 기금의 회계처리에 대하여 적용한다.

② 이 규칙의 해석과 실무회계처리에 관한 사항은 기획재정부장관이 정하는 바에 따른다.

③ 이 규칙에서 정하는 것 외의 사항에 대해서는 일반적으로 인정되는 회계원칙과 일반적으로 공정하고 타당하다고 인정되는 회계관습에 따른다.

제 4 조 일반원칙

국가의 회계처리는 **복식부기 · 발생주의 방식**으로 하며, 다음 각 호의 원칙에 따라 이루어져야 한다.

1. 회계처리는 신뢰할 수 있도록 객관적인 자료와 증거에 따라 공정하게 이루어져야 한다.
2. 재무제표의 양식, 과목 및 회계용어는 이해하기 쉽도록 간단명료하게 표시하여야 한다.

3. 중요한 회계방침, 회계처리기준, 과목 및 금액에 관하여는 그 내용을 재무제표에 충분히 표시하여야 한다.
4. 회계처리에 관한 기준 및 추정(推定)은 기간별 비교가 가능하도록 기간마다 계속하여 적용하고 정당한 사유 없이 변경해서는 아니 된다.
5. 회계처리와 재무제표 작성을 위한 계정과목과 금액은 그 중요성에 따라 실용적인 방법으로 결정하여야 한다.
6. 회계처리는 거래 사실과 경제적 실질을 반영할 수 있어야 한다.

지방자치단체 회계기준에 관한 규칙

제8조【재무제표】 ① 재무제표는 지방자치단체의 재정상황을 표시하는 중요한 요소로서 **재정상태표, 재정운영표, 현금흐름표, 순자산변동표, 주석(註釋)**으로 구성된다.
② 재무제표의 부속서류는 필수보충정보와 부속명세서로 한다.

제 5 조 재무제표와 부속서류

① 재무제표는 「국가회계법」 제14조 제3호에 따라 재정상태표, 재정운영표, 순자산변동표로 구성하되, 재무제표에 대한 주석을 포함한다.
② 재무제표의 부속서류는 필수보충정보와 부속명세서로 한다.
③ 재무제표는 국가의 재정활동에 직접적 또는 간접적으로 이해관계를 갖는 정보이용자가 국가의 재정활동 내용을 파악하고, 합리적으로 의사결정을 할 수 있도록 유용한 정보를 제공하는 것을 목적으로 한다.
④ 재무제표는 국가가 공공회계책임을 적절히 이행하였는지를 평가하는 데 필요한 다음 각 호의 정보를 제공하여야 한다.
1. 국가의 재정상태 및 그 변동과 재정운영결과에 관한 정보
2. 국가사업의 목적을 능률적, 효과적으로 달성하였는 지에 관한 정보
3. 예산과 그 밖에 관련 법규의 준수에 관한 정보

지방자치단체 회계기준에 관한 규칙

제9조【재무제표의 작성원칙】 ⑤ 「지방회계법」 제7조 제1항에 따른 **출납 폐쇄기한** 내의 세입금 수납과 세출금 지출은 해당 회계연도의 거래로 처리한다.

제 6 조 재무제표의 작성원칙

① 재무제표는 다음 각 호의 원칙에 따라 작성한다.
1. 재무제표는 **해당 회계연도 분과 직전 회계연도 분을** 비교하는 형식으로 작성한다.
2. 제1호에 따라 비교하는 형식으로 작성되는 두 회계연도의 재무제표는 계속성의 원칙에 따라 작성하며, 「국가회계법」에 따른 적용 범위, 회계정책 또는 이 규칙 등이 변경된 경우에는 그 내용을 주석으로 공시한다.
3. 재무제표의 과목은 **해당 항목의** 중요성에 따라 별도의 과목으로 표시하거나 다른 과목으로 통합하여 표시할 수 있다.
4. 재무제표를 **통합하여 작성할 경우** 내부거래는 상계하여 작성한다.

② 「국고금관리법 시행령」 제2장에 따른 **출납정리기한(다음 회계연도 1월 20일)** 중에 발생하는 거래에 대한 회계처리는 해당 회계연도에 발생한 거래로 보아 다음 각 호와 같이 처리한다.
1. 「국고금관리법 시행령」 제5조 제2항 각 호의 어느 하나에 해당하는 납입은 해당 회계연도 말일에 수입된 것으로 본다.

2. 「국고금관리법 시행령」 제6조 제1항 각 호의 어느 하나에 해당하는 지출은 해당 회계연도 말일에 지출된 것으로 본다.
3. 「국고금관리법 시행령」 제7조 단서에 따라 관서운영경비출납공무원이 교부받은 관서운영경비를 해당 회계연도 말일 후에 반납하는 경우에는 해당 회계연도 말일에 반납된 것으로 본다.

제 2 장 재정상태표

제 1 절 총칙

제 7 조 재정상태표

① 재정상태표는 재정상태표일 현재의 자산과 부채의 명세 및 상호관계 등 재정상태를 나타내는 재무제표로서 자산, 부채 및 순자산으로 구성된다.
② 재정상태표는 별지 제1호 서식과 같다.

제 8 조 재정상태표 작성기준

① **자산과 부채는** 유동성이 높은 항목부터 배열한다. 이 경우 유동성이란 현금으로 전환되기 쉬운 정도를 말한다.
② 자산, 부채 및 순자산은 총액으로 표시한다. 이 경우 **자산 항목과 부채 또는 순자산 항목을 상계함으로써 그 전부 또는 일부를 재정상태표에서 제외해서는 아니 된다.**

제 2 절 자산

제 9 조 자산의 정의와 구분

① 자산은 과거의 거래나 사건의 결과로 현재 국가회계실체가 소유(실질적으로 소유하는 경우를 포함한다) 또는 통제하고 있는 자원으로서, 미래에 공공서비스를 제공할 수 있거나 직접 또는 간접적으로 경제적효익을 창출하거나 창출에 기여할 것으로 기대되는 자원을 말한다.
② **자산은** 유동자산, 투자자산, 일반유형자산, 사회기반시설, 무형자산 및 기타 비유동자산**으로 구분**하여 재정상태표에 표시한다.

지방자치단체 회계기준에 관한 규칙
제14조【자산의 분류】① **자산은 유동자산, 투자자산, 일반유형자산, 주민편의시설, 사회기반시설, 기타비유동자산으로 분류**한다.

제 10 조 자산의 인식기준

① 자산은 공용 또는 공공용으로 사용되는 등 공공서비스를 제공할 수 있거나 직접적 또는 간접적으로 경제적효익을 창출하거나 창출에 기여할 가능성이 매우 높고 그 가액을 신뢰성 있게 측정할 수 있을 때에 인식한다.

자산 관련 필수보충정보
- **국가회계기준:** 유산자산의 종류, 수량 및 관리상태
- **지방자치단체 회계기준:** 관리책임자산

② 현재 세대와 미래 세대를 위하여 정부가 영구히 보존하여야 할 자산으로서 역사적, 자연적, 문화적, 교육적 및 예술적으로 중요한 가치를 갖는 자산(이하 "유산자산"이라 한다)은 자산으로 인식하지 아니하고 그 종류와 현황 등을 필수보충정보로 공시한다.

③ 국가안보와 관련된 자산은 기획재정부장관과 협의하여 자산으로 인식하지 아니할 수 있다. 이 경우 해당 중앙관서의 장은 해당 자산의 종류, 취득시기 및 관리현황 등을 별도의 장부에 기록하여야 한다.

제 11 조 유동자산

① 유동자산은 재정상태표일부터 1년 이내에 현금화되거나 사용될 것으로 예상되는 자산으로서, 현금 및 현금성자산, 단기금융상품, 단기투자증권, 미수채권, 단기대여금 및 기타 유동자산 등을 말한다.

② 제1항의 단기투자증권은 만기가 1년 이내이거나 1년 이내에 처분 예정인 채무증권, 지분증권 및 기타 단기투자증권을 말하고, 같은 항의 기타 유동자산은 미수수익, 선급금, 선급비용 및 재고자산 등을 말한다.

제 12 조 투자자산

① 투자자산은 투자 또는 권리행사 등의 목적으로 보유하고 있는 자산으로서, 장기금융상품, 장기투자증권, 장기대여금 및 기타 투자자산 등을 말한다.

② 제1항의 장기투자증권은 만기가 1년 후이거나 1년 후에 처분 예정인 채무증권, 지분증권 및 기타 장기투자증권을 말한다.

제 13 조 일반유형자산

① 일반유형자산은 고유한 행정활동에 1년을 초과하여 사용할 목적으로 취득한 자산(제14조에 따른 사회기반시설은 제외한다)으로서, 토지, 건물, 구축물, 기계장치, 집기 · 비품 · 차량운반구, 전비품, 기타 일반유형자산 및 건설 중인 일반유형자산 등을 말한다.

② 제1항의 전비품은 전쟁의 억제 또는 수행에 직접적으로 사용되는 전문적인 군사장비와 탄약 등을 말한다.

제 14 조 사회기반시설

사회기반시설은 국가의 기반을 형성하기 위하여 대규모로 투자하여 건설하고 그 경제적 효과가 장기간에 걸쳐 나타나는 자산으로서, 도로, 철도, 항만, 댐, 공항, 하천, 상수도, 국가어항, 기타 사회기반시설 및 건설 중인 사회기반시설 등을 말한다.

제 15 조 무형자산

무형자산은 일정 기간 독점적 · 배타적으로 이용할 수 있는 권리인 자산으로서, 산업재산권, 광업권, 소프트웨어, 기타 무형자산 등을 말한다.

제 16 조 기타 비유동자산

기타 비유동자산은 유동자산, 투자자산, 일반유형자산, 사회기반시설 및 무형자산에 해당하지 아니하는 자산을 말한다.

제 3 절 부채

제 17 조 부채의 정의와 구분

① 부채는 과거의 거래나 사건의 결과로 국가회계실체가 부담하는 의무로서, 그 이행을 위하여 미래에 자원의 유출 또는 사용이 예상되는 현재의 의무를 말한다.

② 부채는 유동부채, 장기차입부채, 장기충당부채 및 기타 비유동부채로 구분하여 재정상태표에 표시한다.

지방자치단체 회계기준에 관한 규칙

제21조 【부채의 분류】 부채는 **유동부채, 장기차입부채 및 기타비유동부채**로 분류한다.

제 18 조 부채의 인식기준

① 부채는 국가회계실체가 부담하는 현재의 의무 중 향후 그 이행을 위하여 지출이 발생할 가능성이 매우 높고 그 금액을 신뢰성 있게 측정할 수 있을 때 인식한다.

② 국가안보와 관련된 부채는 기획재정부장관과 협의하여 부채로 인식하지 아니할 수 있다. 이 경우 해당 중앙관서의 장은 해당 부채의 종류, 취득시기 및 관리현황 등을 별도의 장부에 기록하여야 한다.

부채 관련 국가회계기준 필수보충정보

- 연금보고서
- 보험보고서
- 사회보험보고서

제 19 조 유동부채

① 유동부채는 재정상태표일부터 1년 이내에 상환하여야 하는 부채로서 단기국채, 단기공채, 단기차입금, 유동성장기차입부채 및 기타 유동부채 등을 말한다.

② 제1항의 기타 유동부채는 미지급금, 미지급비용, 선수금, 선수수익 등을 말한다.

제 20 조 장기차입부채

장기차입부채는 재정상태표일부터 1년 후에 만기가 되는 확정부채로서 국채, 공채, 장기차입금 및 기타 장기차입부채 등을 말한다.

제 21 조 장기충당부채

장기충당부채는 지출시기 또는 지출금액이 불확실한 부채로서 퇴직급여충당부채, 연금충당부채, 보험충당부채 및 기타 장기충당부채 등을 말한다.

제 22 조 기타 비유동부채

기타 비유동부채는 유동부채, 장기차입부채 및 장기충당부채에 해당하지 아니하는 부채를 말한다.

제 4 절 순자산

제 23 조 순자산의 정의와 구분

① 순자산은 자산에서 부채를 뺀 금액을 말하며, 기본순자산, 적립금 및 잉여금, 순자산조정으로 구분한다.

② **기본순자산**은 순자산에서 적립금 및 잉여금과 순자산조정을 뺀 금액으로 표시한다.

③ **적립금 및 잉여금**은 임의적립금, 전기이월결손금 · 잉여금, 재정운영결과 등을 표시한다.

④ **순자산조정**은 투자증권평가손익, 파생상품평가손익 및 기타 순자산의 증감 등을 표시한다.

지방자치단체 회계기준에 관한 규칙

제25조【순자산의 분류】 ① 순자산은 지방자치단체의 기능과 용도를 기준으로 **고정순자산, 특정순자산 및 일반순자산**으로 분류한다.

제 3 장 재정운영표

제 1 절 총칙

제 24 조 재정운영표

① 재정운영표는 회계연도 동안 수행한 정책 또는 사업의 원가와 재정운영에 따른 원가의 회수명세 등을 포함한 재정운영결과를 나타내는 재무제표를 말한다.

② 중앙관서 또는 기금의 재정운영표는 별지 제2호 서식과 같다.

③ 국가의 재정운영표는 별지 제3호 서식과 같다.

제 25 조 중앙관서 또는 기금의 재정운영표

① 중앙관서 또는 기금의 재정운영표는 프로그램순원가, 재정운영순원가, 재정운영결과로 구분하여 표시한다.

② 프로그램순원가는 프로그램을 수행하기 위하여 투입한 원가 합계에서 다른 프로그램으로부터 배부받은 원가를 더하고, 다른 프로그램에 배부한 원가는 빼며, 프로그램 수행과정에서 발생한 수익 등을 빼서 표시한다.

③ 재정운영순원가는 프로그램순원가에서 제1호 및 제2호의 비용은 더하고, 제3호의 수익은 빼서 표시한다.

1. 관리운영비: 기관운영비와 같이 기관의 여러 정책이나 사업, 활동을 지원하는 비용(「정부기업예산법」 제3조에 따른 특별회계나 기금의 경우에는 관리업무비를 말한다)

프로그램수익

① **프로그램**
동일한 정책목적을 달성하기 위한 단위사업의 묶음을 의미하며, 정책적으로 독립성을 지닌 최소단위를 의미

② **프로그램수익**
특정 프로그램의 운영에 따라 재화나 용역을 제공한 대가로 발생하는 수익으로 프로그램원가에서 차감할 수익
예 재화 및 용역제공수입(면허료 및 수수료, 입학금 및 수험료, 항공·항만 및 용수수입, 병원수입등을 포함), 연금수익, 보험수익 및 보증수익 등

2. 비배분비용: 국가회계실체에서 발생한 비용 중 프로그램에 대응되지 않는 비용
3. 비배분수익: 국가회계실체에서 발생한 수익 중 프로그램에 대응되지 않는 수익

④ 재정운영결과는 재정운영순원가에서 비교환수익(제28조 제2항 제2호의 비교환수익을 말한다) 등을 빼서 표시한다. 다만, 「국고금관리법 시행령」 제50조의2에 따라 통합관리하는 일반회계 및 특별회계의 자금에서 발생하는 비교환수익 등은 순자산변동표의 재원의 조달 및 이전란에 표시한다.

	Ⅰ. 프로그램순원가 (1) 프로그램(A) (2) 프로그램(B)	프로그램총원가 - 프로그램수익 = (프로그램 투입원가 + 배부받은 원가 - 배부한 원가) - 프로그램수익
(+)	Ⅱ. 관리운영비 (1) 인건비 (2) 경비	기관운영비와 같이 기관의 여러 정책이나 사업, 활동을 지원하는 비용
(+)	Ⅲ. 비배분비용 (1) 자산처분손실 (2) 기타비용	국가회계실체에서 발생한 비용 중 프로그램에 대응되지 않는 비용
(-)	Ⅳ. 비배분수익	국가회계실체에서 발생한 수익 중 프로그램에 대응되지 않는 수익
(=)	Ⅴ. 재정운영순원가	
(-)	Ⅵ. 비교환수익 등 (1) 부담금 수익 (2) 제재금 수익 (3) 사회보험 수익 (4) 채무면제 이익 (5) 기타비교환 수익 (6) 기타재원조달및 이전	직접적인 반대급부 없이 발생하는 수익 ① 기업특별회계, 기금에서 발생한 비교환수익 등만 표시한다. ② 일반회계, 기타특별회계에서 발생한 비교환수익 등은 순자산변동표 '재원의 조달 및 이전'란에 표시된다. ③ 국세수익은 표시되지 않는다.
(=)	Ⅶ. 재정운영결과	

※ 1. **재정운영결과가 (+)인 경우:** 순자산의 감소를 의미하기 때문에, 순자산변동표의 기초순자산에서 차감하여 표시한다.
2. **재정운영결과가 (-)인 경우:** 순자산의 증가를 의미하기 때문에, 순자산변동표의 기초순자산에서 가산하여 표시한다.

⊙ 재정운영표(중앙관서 또는 기금)

제 26 조 국가의 재정운영표

① 중앙관서 또는 기금의 재정운영표를 통합하여 작성하는 국가의 재정운영표는 다음 각 호와 같이 표시한다.

1. 재정운영표: 내부거래를 제거하여 작성하되 재정운영순원가, 비교환수익 등 및 재정운영결과로 구분하여 표시
2. 재정운영순원가: 각 중앙관서별로 구분하여 표시
3. 재정운영결과: 재정운영순원가에서 비교환수익 등을 빼서 표시

② 제1항에서 정한 사항 외에 국가의 재정운영표 작성 방법은 중앙관서 또는 기금의 재정운영표 작성 방법을 준용한다.

	Ⅰ. 재정운영순원가	
	1. 대통령비서실	
	2. 각 부처등	
(−)	Ⅱ. 비교환수익 등	직접적인 반대급부 없이 발생하는 수익
	1. 국세수익	
	2. 부담금수익	
	3. 제재금수익	
(=)	Ⅲ. 재정운영결과	

재정운영표(국가)

제 27 조 재정운영표의 작성기준

재정운영표의 모든 수익과 비용은 발생주의 원칙에 따라 거래나 사실이 발생한 기간에 표시한다.

제 2 절 수익과 비용

제 28 조 수익의 정의와 구분

① 수익은 국가의 재정활동과 관련하여 재화 또는 용역을 제공한 대가로 발생하거나, 직접적인 반대급부 없이 법령에 따라 납부의무가 발생한 금품의 수납 또는 자발적인 기부금 수령 등에 따라 발생하는 순자산의 증가를 말한다.

② 수익은 그 원천에 따라 다음 각 호와 같이 구분한다.

1. 교환수익: 재화나 용역을 제공한 대가로 발생하는 수익
2. 비교환수익: 직접적인 반대급부 없이 발생하는 국세, 부담금, 기부금, 무상이전 및 제재금 등의 수익

제 29 조 수익의 인식기준

① **교환수익은** 수익창출 활동이 끝나고 **그 금액을** 합리적으로 측정**할 수 있을 때**에 인식한다.

② **비교환수익은 해당 수익에 대한** 청구권이 발생하고 **그 금액을 합리적으로 측정할 수 있을 때**에 인식하며, 수익 유형에 따른 세부 인식기준은 다음 각 호와 같다.

1. **신고 · 납부하는 방식**의 국세: 납세의무자가 세액을 자진신고하는 때에 수익으로 인식
2. **정부가 부과하는 방식**의 국세: **국가가** 고지하는 때에 수익으로 인식
3. **원천징수**하는 국세: 원천징수의무자가 원천징수한 금액을 신고 · 납부하는 때에 수익으로 인식
4. **연부연납(세금 신고한 경과 후 장기간 분할납부하는 것을 말한다) 또는 분납**이 가능한 국세: **징수할 세금이** 확정된 때**에 그 납부할** 세액 전체를 수익으로 인식
5. 부담금수익, 기부금수익, 무상이전수입, 제재금수익 등: 청구권 등이 확정된 때에 그 확정된 금액을 수익으로 인식. 다만, 제재금수익 중 벌금, 과료, 범칙금 또는 몰수품으로서 청구권이 확정된 때나 몰수품을 몰수한 때에 그 금액을 확정하기 어려운 경우에는 **벌금, 과료 또는 범칙금이** 납부**되거나 몰수품이** 처분**된 때**에 수익으로 인식할 수 있다.

제 30 조 비용의 정의와 인식기준

① 비용은 국가의 재정활동과 관련하여 재화 또는 용역을 제공하여 발생하거나, 직접적인 반대급부 없이 발생하는 자원 유출이나 사용 등에 따른 순자산의 감소를 말한다.

② 비용은 다음 각 호의 기준에 따라 인식한다.

1. 재화나 용역의 제공 등 국가재정활동 수행을 위하여 자산이 감소하고 그 금액을 합리적으로 측정할 수 있을 때 또는 법령 등에 따라 지출에 대한 의무가 존재하고 그 금액을 합리적으로 측정할 수 있을 때에 비용으로 인식
2. 과거에 자산으로 인식한 자산의 미래 경제적 효익이 감소 또는 소멸하거나 자원의 지출 없이 부채가 발생 또는 증가한 것이 명백한 때에 비용으로 인식

제 31 조 원가계산

① 원가는 중앙관서의 장 또는 기금관리주체가 프로그램의 목표를 달성하고 성과를 창출하기 위하여 직접적 · 간접적으로 투입한 경제적 자원의 가치를 말한다.

② 원가 집계 대상과 배부기준 등 원가계산에 관한 세부적인 사항은 기획재정부장관이 정하는 바에 따른다.

제 4 장 자산과 부채의 평가

지방자치단체 회계기준에 관한 규칙

제45조【자산의 평가기준】
① 재정상태표에 기록하는 자산의 가액은 해당 자산의 취득원가를 기초로 하여 계상함을 원칙으로 한다. 다만, 교환, 기부채납, 관리전환, 그 밖에 무상으로 취득한 자산의 가액은 **공정가액을 취득원가**로 한다.

제 32 조 자산의 평가기준

① 재정상태표에 표시하는 자산의 가액은 해당 자산의 취득원가를 기초로 하여 계상(計上)한다. 다만, 무주부동산의 취득, 국가 외의 상대방과의 교환 또는 기부채납 등의 방법으로 자산을 취득한 경우에는 취득 당시의 **공정가액을 취득원가**로 한다.

② 국가회계실체 사이에 발생하는 관리전환은 무상거래일 경우에는 자산의 장부가액을 취득원가로 하고, 유상거래일 경우에는 자산의 공정가액**을 취득원가**로 한다.

③ 재정상태표에 표시하는 자산은 이 규칙에서 따로 정한 경우를 제외하고는 자산의 물리적인 손상 또는 시장가치의 급격한 하락 등으로 해당 자산의 회수가능가액이 장부가액에 미달하고 그 미달액이 중요한 경우에는 장부가액에서 직접 빼서 회수가능가액으로 조정하고, 장부가액과 회수가능가액의 차액을 그 자산에 대한 감액손실의 과목으로 재정운영순원가에 반영하며 감액명세를 주석으로 표시한다. 다만, 감액한 자산의 회수가능가액이 차기 이후에 해당 자산이 감액되지 아니하였을 경우의 장부가액 이상으로 회복되는 경우에는 그 장부가액을 한도로 하여 그 자산에 대한 감액손실환입 과목으로 재정운영순원가에 반영한다.

④ 「군수품관리법」에 따라 관리되는 전비품 등의 평가기준은 국방부장관이 따로 정하는 바에 따를 수 있다.

지방자치단체 회계기준에 관한 규칙

제48조【장기투자증권의 평가】 장기투자증권은 매입가격에 부대비용을 더하고 이에 **종목별로 총평균법**을 적용하여 산정한 취득원가로 평가함을 원칙으로 한다.

제 33 조 유가증권의 평가

① 유가증권은 매입가액에 부대비용을 더하고 종목별로 총평균법 등을 적용하여 산정한 가액을 취득원가로 한다.

② 유가증권은 자산의 분류기준에 따라 **단기투자증권과 장기투자증권**으로 구분한다.

③ **채무증권은** 상각후취득원가**로 평가**하고 **지분증권과 기타 장기투자증권 및 기타 단기투자증권은** 취득원가**로 평가**한다. 다만, 투자목적**의 장기투자증권 또는 단기투자증권인 경우**에는 재정상태표일 현재 신뢰성 있게 공정가액을 측정할 수 있으면 그 공정가액으로 평가하며, 장부가액과 공정가액의 차이금액은 순자산변동표에 조정항목으로 표시한다.

④ 유가증권의 회수가능가액이 장부가액 미만으로 하락하고 그 하락이 장기간 계속되어 회복될 가능성이 없을 경우에는 장부가액과의 차액을 감액손실로 인식하고 재정운영순원가에 반영한다.

제 34 조 미수채권 등의 평가

미수채권, 장기대여금 또는 단기대여금은 신뢰성 있고 객관적인 기준에 따라 산출한 대손추산액을 **대손충당금으로 설정**하여 평가한다.

제 35 조 재고자산의 평가

① 재고자산은 판매 또는 용역제공을 위하여 보유하거나 생산과정에 있는 자산, 생산과정 또는 용역제공과정에 투입될 원재료나 소모품 형태로 존재하는 자산을 말한다.

② 재고자산은 제조원가 또는 매입가액에 부대비용을 더한 금액을 취득원가로 하고 품목별로 선입선출법(先入先出法)을 적용하여 평가한다. 다만, 실물흐름과 원가산정 방법 등에 비추어 다른 방법을 적용하는 것이 보다 합리적이라고 인정되는 경우에는 개별법, 이동평균법 등을 적용하고 그 내용을 주석으로 표시한다.

③ 제2항에 따라 선택된 재고자산의 평가 방법은 정당한 사유 없이 변경할 수 없으며, 평가 방법의 정당한 변경 사유가 발생한 경우에는 제51조에 따라 회계처리한다.

④ 재고자산의 시가(時價)가 취득원가보다 낮은 경우에는 시가를 재정상태표 가액으로 한다. 이 경우 원재료 외의 재고자산의 시가는 순실현가능가액을 말하며, 생산과정에 투입될 원재료의 시가는 현재 시점에서 매입하거나 재생산하는 데 드는 현행대체원가를 말한다.

지방자치단체 회계기준에 관한 규칙

제47조【재고자산의 평가】 재고자산은 구입가액에 부대비용을 더하고 이에 **선입선출법을 적용**하여 산정한 가액을 취득원가로 한다. 다만, 실물흐름과 원가산정방법 등에 비추어 다른 방법을 적용하는 것이 보다 합리적이라고 인정되는 경우에는 개별법, 이동평균법 등을 적용하고 그 내용을 주석(註釋)으로 공시한다.

참고 **재고자산평가손실에 대한 언급 없음**

제 36 조 압수품 및 몰수품의 평가

압수품 및 몰수품은 다음 각 호의 구분에 따라 평가한다.

1. 화폐성자산: 압류 또는 몰수 당시의 시장가격으로 평가
2. 비화폐성자산: 압류 또는 몰수 당시의 감정가액 또는 공정가액 등으로 평가 이 경우 그 평가된 가액을 주석으로 표시한다.

제 37 조 일반유형자산의 평가

① 일반유형자산은 해당 자산의 건설원가 또는 매입가액에 부대비용을 더한 금액을 취득원가로 하고, 객관적이고 합리적인 방법으로 추정한 기간에 정액법(定額法) 등을 적용하여 감가상각한다.

② 일반유형자산에 대한 사용수익권은 해당 자산의 차감항목에 표시한다.

제 38 조 사회기반시설의 평가

① 사회기반시설의 평가에 관하여는 제37조를 준용한다. 이 경우 감가상각은 건물, 구축물 등 세부 구성요소별로 감가상각한다.

② 제1항에도 불구하고 사회기반시설 중 관리 · 유지 노력에 따라 취득 당시의 용역 잠재력을 그대로 유지할 수 있는 시설에 대해서는 감가상각하지 아니하고 관리 · 유지에 투입되는 비용으로 감가상각비용을 대체할 수 있다. 다만, 효율적인 사회기반시설 관리시스템으로 사회기반시설의 용역 잠재력이 취득 당시와 같은 수준으로 유지된다는 것이 객관적으로 증명되는 경우로 한정한다.

③ 사회기반시설에 대한 사용수익권은 해당 자산의 차감항목에 표시한다.

지방자치단체 회계기준에 관한 규칙
재평가모형에 대한 규정 없음

제 38 조의2 일반유형자산 및 사회기반시설의 재평가 기준

① 제32조에도 불구하고 일반유형자산과 사회기반시설을 취득한 후 재평가할 때에는 공정가액으로 계상하여야 한다. 다만, 해당 자산의 공정가액에 대한 합리적인 증거가 없는 경우 등에는 재평가일 기준으로 재생산 또는 재취득하는 경우에 필요한 가격에서 경과연수에 따른 감가상각누계액 및 감액손실누계액을 뺀 가액으로 재평가하여 계상할 수 있다.

② 제1항에 따른 재평가의 최초 평가연도, 평가방법 및 요건 등 세부회계처리에 관하여는 기획재정부장관이 정한다.

제 39 조 무형자산의 평가

① 무형자산은 해당 자산의 개발원가 또는 매입가액에 부대비용을 더한 금액을 취득원가로 하여 평가한다.

② 무형자산은 정액법에 따라 해당 자산을 사용할 수 있는 시점부터 합리적인 기간 동안 상각한다. 이 경우 상각기간은 독점적 · 배타적인 권리를 부여하고 있는 관계 법령이나 계약에서 정한 경우를 제외하고는 20년**을 초과할 수 없다**.

제 40 조 일반유형자산 및 사회기반시설의 취득 후 지출

일반유형자산 및 사회기반시설의 내용연수를 연장시키거나 가치를 실질적으로 증가시키는 지출은 자산의 증가로 회계처리하고, 원상회복시키거나 능률유지를 위한 지출은 비용으로 회계처리한다.

제 41 조 부채의 평가기준

재정상태표에 표시하는 부채의 가액은 이 규칙에서 따로 정한 경우를 제외하고는 원칙적으로 만기상환가액**으로 평가**한다.

제 42 조 국채의 평가

① 국채는 국채발행수수료 및 발행과 관련하여 직접 발생한 비용을 뺀 발행가액으로 평가한다.

② 국채의 액면가액과 발행가액의 차이는 국채할인(할증)발행차금 과목으로 액면가액에 빼거나 더하는 형식으로 표시하며, 그 할인(할증)발행차금은 발행한 때부터 최종 상환할 때까지의 기간에 유효이자율로 상각 또는 환입하여 국채에 대한 이자비용에 더하거나 뺀다.

제 43 조 퇴직급여충당부채의 평가

① 퇴직급여충당부채는 재정상태표일 현재 「공무원연금법」 및 「군인연금법」을 적용받지 아니하는 퇴직금 지급대상자가 일시에 퇴직할 경우 지급하여야 할 퇴직금으로 평가한다.

② 퇴직금산정명세, 퇴직금추계액, 회계연도 중 실제로 지급한 퇴직금 등은 주석으로 표시한다.

제 44 조 연금충당부채 및 보험충당부채의 평가

연금충당부채 및 보험충당부채는 기획재정부장관이 따로 정하는 방법으로 평가한다.

제 45 조 융자보조원가충당금과 보증충당부채의 평가

① **융자보조원가충당금**은 융자사업에서 발생한 융자금 원금과 추정 회수가능액의 현재가치와의 차액으로 평가한다.

② 보증충당부채는 보증약정 등에 따른 피보증인인 주채무자의 채무불이행에 따라 국가회계실체가 부담하게 될 추정 순현금유출액의 현재가치로 평가한다.

③ 제1항 및 제2항에서 정한 사항 외에 융자보조원가충당금 및 보증충당부채의 회계처리에 관한 세부 사항은 기획재정부장관이 정하는 바에 따른다.

제 46 조 채권 · 채무의 현재가치에 따른 평가

① 장기연불조건의 거래, 장기금전대차거래 또는 이와 유사한 거래에서 발생하는 채권 · 채무로서 명목가액과 현재가치의 차이가 중요한 경우에는 현재가치로 평가한다.

② 제1항에 따른 현재가치 가액은 해당 채권 · 채무로 미래에 받거나 지급할 총금액을 해당 거래의 유효이자율(유효이자율을 확인하기 어려운 경우에는 유사한 조건의 국채 유통수익률을 말한다)로 할인한 가액으로 한다.

③ 제1항에 따라 발생하는 채권 · 채무의 명목가액과 현재가치 가액의 차액인 현재가치할인차금은 유효이자율로 매 회계연도에 환입하거나 상각하여 재정운영순원가에 반영한다.

제 47 조 외화자산 및 외화부채의 평가

① 화폐성 외화자산과 화폐성 외화부채는 재정상태표일 현재의 적절한 환율로 평가한다.

② 비화폐성 외화자산과 비화폐성 외화부채는 다음 각 호의 구분에 따라 평가한다.

1. 역사적원가로 측정하는 경우: 해당 자산을 취득하거나 해당 부채를 부담한 당시의 적절한 환율로 평가
2. 공정가액으로 측정하는 경우: 공정가액이 측정된 날의 적절한 환율로 평가

③ 제1항에 따라 발생하는 환율변동효과는 외화평가손실 또는 외화평가이익의 과목으로 하여 재정운영순원가에 반영한다.

④ 비화폐성 외화자산과 비화폐성 외화부채에서 발생한 손익을 조정항목에 반영하는 경우에는 그 손익에 포함된 환율변동효과도 해당 조정항목에 반영하고, 재정운영순원가에 반영하는 경우에는 그 손익에 포함된 환율변동효과도 해당 재정운영순원가에 반영한다.

⑤ 화폐성 외화자산과 화폐성 외화부채는 화폐가치의 변동과 상관없이 자산과 부채의 금액이 계약 등에 의하여 일정 화폐액으로 확정되었거나 결정가능한 경우의 자산과 부채를 말한다. 다만, 화폐성과 비화폐성의 성질을 모두 가지고 있는 외화자산과 외화부채는 해당 자산과 부채의 보유 목적이나 성질에 따라 구분한다.

⑥ 중요한 외화자산과 외화부채의 내용, 평가기준 및 평가손익의 내용은 주석으로 표시한다.

제 48 조 리스에 따른 자산과 부채의 평가

① 리스는 일정 기간 설비 등 특정 자산의 사용권을 리스회사로부터 이전받고, 그 대가로 사용료를 지급하는 계약을 말하며, 다음 각 호와 같이 구분한다.

1. 금융리스: 리스자산의 소유에 따른 위험과 효익이 실질적으로 리스이용자에게 이전되는 리스
2. 운용리스: 제1호 외의 리스

② 금융리스는 리스료를 내재이자율로 할인한 가액과 리스자산의 공정가액 중 낮은 금액을 리스자산과 리스부채로 각각 계상하여 감가상각하고, 운용리스는 리스료를 해당 회계연도의 비용으로 회계처리한다.

제 49 조 파생상품의 평가

① 파생상품은 해당 계약에 따라 발생한 권리와 의무를 각각 자산 및 부채로 계상하여야 하며, 공정가액으로 평가한 금액을 재정상태표 가액으로 한다.

② 파생상품에서 발생한 평가손익은 발생한 시점에 재정운영순원가에 반영한다. 다만, 미래예상거래의 현금흐름변동위험을 회피하는 계약에서 발생하는 평가손익은 순자산변동표의 조정항목 중 파생상품평가손익으로 표시한다.

③ 파생상품 거래는 그 거래 목적 및 거래명세 등을 주석으로 표시한다. 이 경우 위험회피 목적의 파생상품 거래인 경우에는 위험회피 대상항목, 위험회피 대상범위, 위험회피 활동을 반영하기 위한 회계처리방법, 이연(移延)된 손익금액 등을 표시한다.

제 50 조 충당부채, 우발상황 및 우발자산

① 충당부채는 지출시기 또는 지출금액이 불확실한 부채를 말하며, 현재의무의 이행에 소요되는 지출에 대한 최선의 추정치를 재정상태표 가액으로 한다. 이 경우 추정치 산정 시에는 관련된 사건과 상황에 대한 위험과 불확실성을 고려하여야 한다.

② 우발부채는 다음 각 호에 해당하는 의무를 말하며, 의무를 이행하기 위하여 경제적효익이 있는 자원이 유출될 가능성이 희박하지 않는 한 주석에 공시한다.

1. 과거의 거래나 사건으로 발생하였으나, 국가회계실체가 전적으로 통제할 수 없는 하나 이상의 불확실한 미래 사건의 발생 여부로만 그 존재 유무를 확인할 수 있는 잠재적 의무
2. 과거의 거래나 사건으로 발생하였으나, 해당의무를 이행하기 위하여 경제적효익이 있는 자원을 유출할 가능성이 매우 높지 않거나, 그 금액을 신뢰성 있게 측정할 수 없는 경우에 해당하여 인식하지 아니하는 현재의 의무

③ 우발자산은 과거의 거래나 사건으로 발생하였으나 국가회계실체가 전적으로 통제할 수 없는 하나 이상의 불확실한 미래 사건의 발생 여부로만 그 존재 유무를 확인할 수 있는 잠재적 자산을 말하며, 경제적효익의 유입 가능성이 매우 높은 경우 주석에 공시한다.

제 51 조 회계 변경과 오류 수정

① 회계정책 및 회계추정의 변경은 그 변경으로 재무제표를 보다 적절히 표시할 수 있는 경우 또는 법령 등에서 새로운 회계기준을 채택하거나 기존의 회계기준을 폐지함에 따라 변경이 불가피한 경우에 할 수 있으며, 그 유형에 따라 다음 각 호와 같이 처리한다.

1. 회계정책의 변경에 따른 영향은 비교표시되는 직전 회계연도의 순자산 기초금액 및 기타 대응금액을 새로운 회계정책이 처음부터 적용된 것처럼 조정한다. 다만, 회계정책의 변경에 따른 누적효과를 합리적으로 추정하기 어려운 경우에는 회계정책의 변경에 따른 영향을 해당 회계연도와 그 회계연도 후의 기간에 반영할 수 있다.
2. 회계추정의 변경에 따른 영향은 해당 회계연도 이후의 기간에 미치는 것으로 한다.
3. 회계정책을 변경한 경우에는 그 변경내용, 변경사유 및 변경에 따라 해당 회계연도의 재무제표에 미치는 영향을 주석으로 표시한다. 다만, 회계정책의 변경에 따른 누적효과를 합리적으로 추정하기 어려운 경우에는 다음 각 목에 관한 내용을 주석으로 표시한다.
   가. 누적효과를 합리적으로 추정하기 어려운 사유
   나. 회계정책 변경의 적용방법
   다. 회계정책 변경의 적용시기
4. 회계추정을 변경한 경우에는 그 변경내용, 변경사유 및 변경에 따라 해당 회계연도의 재무제표에 미치는 영향을 주석으로 표시한다.

② 오류수정사항이란 회계기준 또는 법령 등에서 정한 기준에 합당하지 아니한 경우로서 전 회계연도 또는 그 전 기간에 발생한 다음 각 호의 오류는 다음 각 호의 구분에 따라 처리한다.
1. 중대한 오류: 오류가 발생한 회계연도 재정상태표의 순자산에 반영하고, 관련된 계정잔액을 수정한다.
   이 경우 비교재무제표를 작성할 때에는 중대한 오류의 영향을 받는 회계기간의 재무제표 항목을 다시 작성한다.
2. 제1호 외의 오류: 해당 회계연도의 재정운영표에 반영한다.

③ 전 회계연도 이전에 발생한 오류수정사항은 주석으로 표시하되, 제2항 제1호에 따른 중대한 오류를 수정한 경우에는 다음 각 호의 사항을 주석으로 포함한다.
1. 중대한 오류로 판단한 근거
2. 비교재무제표에 표시된 과거회계기간에 대한 수정금액
3. 비교재무제표가 다시 작성되었다는 사실

제 5 장　순자산변동표

제 52 조　순자산변동표

① 순자산변동표는 회계연도 동안 순자산의 변동명세를 표시하는 재무제표를 말한다.

② 중앙관서 또는 기금의 순자산변동표는 기초순자산, 재정운영결과, 재원의 조달 및 이전, 조정항목, 기말순자산으로 구분하여 표시한다.

③ 중앙관서 또는 기금의 순자산변동표는 별지 제4호서식과 같다.

④ 중앙관서 또는 기금의 순자산변동표를 통합하여 작성하는 국가의 순자산변동표는 기초순자산, 재정운영결과, 조정항목, 기말순자산으로 구분하여 표시한다.

⑤ 국가의 순자산변동표는 별지 제5호서식과 같다.

제 53 조　조정항목

조정항목은 납입자본의 증감, 투자증권평가손익, 파생상품평가손익 및 기타 순자산의 증감 등을 포함한다.

제 6 장　필수보충정보, 주석 및 부속명세서 등

제 54 조　필수보충정보

① 필수보충정보는 재무제표에는 표시하지 아니하였으나, 재무제표의 내용을 보완하고 이해를 돕기 위하여 필수적으로 제공되어야 하는 정보를 말한다.

② 필수보충정보는 다음 각 호의 정보를 말한다.

1. 유산자산의 종류, 수량 및 관리상태
2. 연금보고서
3. 보험보고서
4. 사회보험보고서
5. 국세징수활동표
6. 총잉여금 · 재정운영결과조정표
7. 수익 · 비용 성질별 재정운영표
8. 그 밖에 재무제표에는 반영되지 아니하였으나 중요하다고 판단되는 정보

③ 필수보충정보의 작성기준과 서식은 기획재정부장관이 정하는 바에 따른다.

제 55 조 주석

① 주석은 정보이용자에게 충분한 회계정보를 제공하기 위하여 채택한 중요한 회계정책과 재무제표에 중대한 영향을 미치는 사항을 설명한 것을 말한다.

② 이 규칙에서 규정한 주석 사항 외에 필요한 경우에는 다음 각 호의 사항을 주석으로 표시한다.

1. 중요한 회계처리방법
2. 장기차입부채 상환계획
3. 장기충당부채
4. 외화자산 및 외화부채
5. 우발사항 및 약정사항(지급보증, 파생상품, 담보제공자산 명세를 포함한다)
6. 전기오류수정 및 회계처리방법의 변경
7. 순자산조정명세
8. 제1호부터 제7호까지에서 규정한 사항 외에 재무제표에 중대한 영향을 미치는 사항과 재무제표의 이해를 위하여 필요한 사항

③ 주석의 작성기준과 서식은 기획재정부장관이 정한다.

제 56 조 부속명세서

부속명세서는 재무제표에 표시된 회계과목에 대한 세부 명세를 명시할 필요가 있을 때에 추가적인 정보를 제공하기 위한 것으로서, 부속명세서의 종류, 작성기준 및 서식은 기획재정부장관이 정하는 바에 따른다.

제 7 장 보칙

제 57 조 국유재산관리운용보고서 등의 작성

「국유재산법」 제69조에 따른 국유재산관리운용보고서, 「물품관리법」 제21조에 따른 물품관리운용보고서 및 「국가채권관리법」 제36조에 따른 채권현재액보고서 작성을 위한 세부회계처리지침은 기획재정부장관이 정한다.

제 58 조 세부회계처리기준

① 중앙관서의 장과 기금관리주체는 기획재정부장관과 협의하여 이 규칙의 시행에 필요한 세부회계처리기준을 정할 수 있다. 이 경우 세부회계처리기준은 이 규칙의 범위에서 작성되어야 한다.

② 중앙관서의 장과 기금관리주체는 해당 국가회계실체의 특성 등을 고려하여 불가피하다고 인정되는 경우에는 기획재정부장관의 승인을 받아 이 규칙과 다른 내용의 세부회계처리기준을 정할 수 있다.

■ 국가회계기준에 관한 규칙 [별지 제1호 서식]

재정상태표

당기: 20XY년 12월 31일 현재
전기: 20XX년 12월 31일 현재

ㅇㅇ기금, ㅇㅇ부처, 대한민국 정부 (단위:)

	주석	20XY		20XX	
자산					
Ⅰ. 유동자산			×××		×××
1. 현금 및 현금성자산	×		×××		×××
2. 단기금융상품	×		×××		×××
3. 단기투자증권	×		×××		×××
4. 미수채권	×	×××		×××	
…		×××		×××	
5. 단기대여금	×	×××		×××	
…		×××		×××	
6. 기타 유동자산	×		×××		×××
Ⅱ. 투자자산			×××		×××
1. 장기금융상품	×		×××		×××
2. 장기투자증권	×		×××		×××
3. 장기대여금	×	×××		×××	
…		×××		×××	
4. 기타 투자자산	×		×××		×××
Ⅲ. 일반유형자산			×××		×××
1. 토지	×	×××		×××	
…		×××		×××	
2. 건물	×	×××		×××	
…		×××		×××	
3. 구축물	×	×××		×××	
…		×××		×××	
4. 기계장치	×	×××		×××	
…		×××		×××	
5. 집기ㆍ비품ㆍ차량운반구	×	×××		×××	
…		×××		×××	
6. 전비품	×	×××		×××	
…		×××		×××	
7. 기타 일반유형자산	×	×××		×××	
…		×××		×××	
8. 건설 중인 일반유형자산	×		×××		×××

Ⅳ. 사회기반시설			×××		×××
1. 도로	×	×××		×××	
…		×××		×××	
2. 철도	×	×××		×××	
…		×××		×××	
3. 항만	×	×××		×××	
…		×××		×××	
4. 댐	×	×××		×××	
…		×××		×××	
5. 공항	×	×××		×××	
…		×××		×××	
6. 하천	×	×××		×××	
…		×××		×××	
7. 상수도	×	×××		×××	
…		×××		×××	
8. 국가어항	×	×××		×××	
…		×××		×××	
9. 기타 사회기반시설	×	×××		×××	
…		×××		×××	
10. 건설 중인 사회기반시설	×		×××		×××
Ⅴ. 무형자산			×××		×××
1. 산업재산권	×		×××		×××
2. 광업권	×		×××		×××
3. 소프트웨어	×		×××		×××
4. 기타무형자산	×		×××		×××
Ⅵ. 기타 비유동자산			×××		×××
1. 장기미수채권	×	×××		×××	
2. …	×	×××		×××	
자산계			×××		×××
부채					
Ⅰ. 유동부채			×××		×××
1. 단기국채	×	×××		×××	
…		×××		×××	
2. 단기공채	×	×××		×××	
…		×××		×××	
3. 단기차입금	×		×××		×××
4. 유동성장기차입부채	×		×××		×××
5. 기타 유동부채	×	×××		×××	
…		×××		×××	

Ⅱ. 장기차입부채			×××		×××
1. 국채	×	×××		×××	
…		×××		×××	
2. 공채	×	×××		×××	
…		×××		×××	
3. 장기차입금	×		×××		×××
4. 기타 장기차입부채	×		×××		×××
Ⅲ. 장기충당부채			×××		×××
1. 퇴직급여충당부채	×		×××		×××
2. 연금충당부채	×		×××		×××
3. 보험충당부채	×		×××		×××
4. 기타 장기충당부채	×		×××		×××
Ⅳ. 기타 비유동부채			×××		×××
1. 장기미지급금	×	×××		×××	
2. …	×	×××		×××	
부채계			×××		×××
순자산					
Ⅰ. 기본순자산			×××		×××
Ⅱ. 적립금 및 잉여금			×××		×××
Ⅲ. 순자산조정			×××		×××
순자산계			×××		×××
부채와순자산계			×××		×××

■ 국가회계기준에 관한 규칙 [별지 제2호 서식]

재정운영표

당기: 20XY년 1월 1일부터 20XY년 12월 31일까지
전기: 20XX년 1월 1일부터 20XX년 12월 31일까지

○○기금, ○○부처 (단위:)

	주석	20XY			20XX		
		총원가	수익	순원가	총원가	수익	순원가
Ⅰ. 프로그램순원가	×	×××	(×××)	×××	×××	(×××)	×××
1. 프로그램(A)		×××	(×××)	×××	×××	(×××)	×××
2. 프로그램(B)		×××	(×××)	×××	×××	(×××)	×××
3. 프로그램(C)		×××	(×××)	×××	×××	(×××)	×××
4. 프로그램(D)		×××	(×××)	×××	×××	(×××)	×××
5. …		×××	(×××)	×××	×××	(×××)	×××
Ⅱ. 관리운영비	×			×××			×××
1. 인건비				×××			×××
2. 경비				×××			×××
Ⅲ. 비배분비용	×			×××			×××
1. 자산처분손실				×××			×××
2. 기타비용				×××			×××
3. …				×××			×××
Ⅳ. 비배분수익	×			×××			×××
1. 자산처분이익				×××			×××
2. 기타수익				×××			×××
3. …				×××			×××
Ⅴ. 재정운영순원가(Ⅰ＋Ⅱ＋Ⅲ－Ⅳ)				×××			×××
Ⅵ. 비교환수익 등	×			×××			×××
1. 부담금수익				×××			×××
2. 제재금수익				×××			×××
3. 사회보험수익				×××			×××
4. 채무면제이익				×××			×××
5. 기타비교환수익				×××			×××
6. 기타재원조달및이전				×××			×××
Ⅶ. 재정운영결과(Ⅴ－Ⅵ)				×××			×××

■ 국가회계기준에 관한 규칙 [별지 제3호 서식]

재정운영표

당기: 20XY년 1월 1일부터 20XY년 12월 31일까지
전기: 20XX년 1월 1일부터 20XX년 12월 31일까지

대한민국 정부 (단위:)

	주석	20XY		20XX	
Ⅰ. 재정운영순원가			×××		×××
1. 중앙관서(A)			×××		×××
2. 중앙관서(B)			×××		×××
3. 중앙관서(C)			×××		×××
4. …			×××		×××
Ⅱ. 비교환수익 등			×××		×××
1. 국세수익	×				
(1) 국세수익		×××		×××	
(2) 대손상각비		×××		×××	
(3) 대손충당금환입		×××	×××	×××	×××
2. 부담금수익	×		×××		×××
3. 제재금수익	×		×××		×××
4. 사회보험수익			×××		×××
5. 채무면제이익			×××		×××
6. 기타비교환수익			×××		×××
7. 기타재원조달및이전			×××		×××
Ⅲ. 재정운영결과(Ⅰ－Ⅱ)			×××		×××

■ [별지 제4호서식] 〈개정 2021. 11. 18.〉

순자산변동표

당기: 20XY년 1월 1일부터 20XY년 12월 31일까지 (Ⅵ.~Ⅹ.)
전기: 20XX년 1월 1일부터 20XX년 12월 31일까지 (Ⅰ.~Ⅴ.)

○○기금, ○○부처 (단위:)

	주석	기본순자산	적립금 및 잉여금	순자산조정	합계
Ⅰ. 전기 기초순자산		×××	×××	×××	×××
1. 보고금액		×××	×××	×××	×××
2. 전기오류수정손익	×	×××	×××	×××	×××
3. 회계변경누적효과	×	×××	×××	×××	×××
Ⅱ. 재정운영결과			×××		×××
Ⅲ. 재원의 조달 및 이전			×××		×××
1. 재원의 조달			×××		×××
(1) 국고수입			×××		×××
(2) 부담금수익			×××		×××
(3) 제재금수익			×××		×××
(4) 기타비교환수익			×××		×××
(5) 무상이전수입			×××		×××
(6) 채무면제이익			×××		×××
(7) 기타재원조달			×××		×××
2. 재원의 이전			×××		×××
(1) 국고이전지출			×××		×××
(2) 무상이전지출			×××		×××
(3) 기타재원이전			×××		×××
Ⅳ. 조정항목		×××	×××	×××	×××
1. 납입자본의 증감	×	×××	-	-	×××
2. 투자증권평가손익	×	-	-	×××	×××
3. 파생상품평가손익	×	-	-	×××	×××
4. 기타 순자산의 증감	×	×××	×××	×××	×××
5. …	×	×××	×××	×××	×××
Ⅴ. 전기 기말순자산(Ⅰ-Ⅱ+Ⅲ+Ⅳ)		×××	×××	×××	×××

Ⅵ. 당기 기초순자산		×××	×××	×××	×××
1. 보고금액		×××	×××	×××	×××
2. 전기오류수정손익	×	×××	×××	×××	×××
3. 회계변경누적효과	×	×××	×××	×××	×××
Ⅶ. 재정운영결과			×××		×××
Ⅷ. 재원의 조달 및 이전			×××		×××
1. 재원의 조달			×××		×××
(1) 국고수입			×××		×××
(2) 부담금수익			×××		×××
(3) 제재금수익			×××		×××
(4) 기타비교환수익			×××		×××
(5) 무상이전수입			×××		×××
(6) 채무면제이익			×××		×××
(7) 기타재원조달			×××		×××
2. 재원의 이전			×××		×××
(1) 국고이전지출			×××		×××
(2) 무상이전지출			×××		×××
(3) 기타재원이전			×××		×××
Ⅸ. 조정항목		×××	×××	×××	×××
1. 납입자본의 증감	×	×××	–	–	×××
2. 투자증권평가손익	×	–	–	×××	×××
3. 파생상품평가손익	×	–	–	×××	×××
4. 기타 순자산의 증감	×	×××	×××	×××	×××
5. …	×	×××	×××	×××	×××
Ⅹ. 당기 기말순자산(Ⅵ-Ⅶ+Ⅷ+Ⅸ)		×××	×××	×××	×××

210mm×297mm(백상지(120g/m^2)또는 백상지(80g/m^2))

■ [별지 제5호서식] 〈개정 2021. 11. 18.〉

순자산변동표

당기: 20XY년 1월 1일부터 20XY년 12월 31일까지 (Ⅴ.~Ⅷ.)
전기: 20XX년 1월 1일부터 20XX년 12월 31일까지 (Ⅰ.~Ⅵ.)

대한민국 정부 (단위:)

	주석	기본순자산	적립금 및 잉여금	순자산조정	합계
Ⅰ. 전기 기초순자산		×××	×××	×××	×××
1. 보고금액		×××	×××	×××	×××
2. 전기오류수정손익	×	×××	×××	×××	×××
3. 회계변경누적효과	×	×××	×××	×××	×××
Ⅱ. 재정운영결과			×××		×××
Ⅲ. 조정항목		×××	×××	×××	×××
1. 납입자본의 증감	×	×××	–	–	×××
2. 투자증권평가손익	×	–	–	×××	×××
3. 파생상품평가손익	×	–	–	×××	×××
4. 기타 순자산의 증감	×	×××	×××	×××	×××
5. …	×	×××	×××	×××	×××
Ⅵ. 전기 기말순자산(Ⅰ-Ⅱ+Ⅲ)		×××	×××	×××	×××
Ⅴ. 당기 기초순자산		×××	×××	×××	×××
1. 보고금액		×××	×××	×××	×××
2. 전기오류수정손익	×	×××	×××	×××	×××
3. 회계변경누적효과	×	×××	×××	×××	×××
Ⅵ. 재정운영결과			×××		×××
Ⅶ. 조정항목		×××	×××	×××	×××
1. 납입자본의 증감	×	×××	–	–	×××
2. 투자증권평가손익	×	–	–	×××	×××
3. 파생상품평가손익	×	–	–	×××	×××
4. 기타 순자산의 증감	×	×××	×××	×××	×××
5. …	×	×××	×××	×××	×××
Ⅷ. 당기 기말순자산(Ⅴ-Ⅵ+Ⅶ)		×××	×××	×××	×××

210mm×297mm(백상지(120g/m^2)또는 백상지(80g/m^2))

01

중앙부처 A의 다음 재정운영표 자료에 근거하여 산출한 재정운영결과는?

프로그램수익	₩40,000	프로그램총원가	₩300,000	비배분수익	₩20,000
비배분비용	₩30,000	비교환수익	₩24,000	관리운영비	₩60,000

① (−)₩306,000
② (+)₩306,000
③ (−)₩330,000
④ (+)₩330,000

해설 정답 ②

재정운영표

Ⅰ. 프로그램순원가 (₩300,000 − ₩40,000)	₩260,000
Ⅱ. 관리운영비	60,000
Ⅲ. 비배분비용	30,000
Ⅳ. 비배분수익	(20,000)
Ⅴ. 재정운영순원가(Ⅰ + Ⅱ + Ⅲ − Ⅳ)	₩330,000
Ⅵ. 비교환수익	(24,000)
Ⅶ. 재정운영결과(Ⅴ − Ⅵ)	₩306,000

02

국가회계기준에 대한 설명으로 옳지 않은 것은?

① 재무제표는 재정상태표, 재정운영표, 순자산변동표로 구성하되, 재무제표에 대한 주석도 포함된다.
② 자산은 유동자산, 투자자산, 일반유형자산, 사회기반시설, 무형자산 및 기타 비유동자산으로 구분하여 재정상태표에 표시한다.
③ 순자산은 자산에서 부채를 뺀 금액을 말하며, 기본순자산, 적립금 및 잉여금, 순자산조정으로 구분한다.
④ 재정상태표에 표시하는 자산의 가액은 해당 자산의 공정가액을 기초로 하여 계상한다.

해설 정답 ④

재정상태표에 표시하는 자산의 가액은 해당 자산의 취득원가를 기초로 하여 계상한다(「국가회계기준에 관한 규칙」 제32조 제1항).

03 「국가회계기준에 관한 규칙」과 「지방자치단체 회계기준에 관한 규칙」상 자산, 부채의 평가에 대한 설명으로 옳지 않은 것은?

① 국가의 도로는 관리, 유지 노력에 따라 취득 당시의 용역 잠재력을 그대로 유지할 수 있는 경우 감가상각 대상에서 제외할 수 있다.
② 재정상태표에 기록하는 자산의 가액은 해당 자산의 취득원가를 기초로 하여 계상함을 원칙으로 한다.
③ 부채의 가액은 따로 정한 경우를 제외하고는 원칙적으로 만기상환가액으로 평가한다.
④ 국가 외 지방자치단체의 일반유형자산과 사회기반시설은 공정가액으로 재평가하여야 한다.

해설 정답 ④

지방자치단체회계기준에서는 재평가에 대한 규정이 없다.

04 「지방자치단체 회계기준에 관한 규칙」상 현금흐름표에 대한 설명으로 옳지 않은 것은?

① 현금흐름표는 회계연도 동안의 현금자원의 변동 즉, 자금의 원천과 사용결과를 표시하는 재무제표로서 영업활동, 투자활동, 재무활동으로 구분하여 표시한다.
② 현금의 유입과 유출은 회계연도 중의 증가나 감소를 상계하지 아니하고 각각 총액으로 적는 것이 원칙이지만, 거래가 잦아 총 금액이 크고 단기간에 만기가 도래하는 경우에는 순증감액으로 적을 수 있다.
③ 현물출자로 인한 유형자산 등의 취득, 유형자산의 교환 등 현금의 유입과 유출이 없는 거래 중 중요한 거래에 대하여는 주석으로 공시한다.
④ 투자활동은 자금의 융자와 회수, 장기투자증권 · 일반유형자산 · 주민편의시설 · 사회기반시설 및 무형자산의 취득과 처분 등을 말한다.

해설 정답 ①

현금흐름표는 회계연도 동안의 현금자원의 변동 즉, 자금의 원천과 사용결과를 표시하는 재무제표로서 경상활동, 투자활동, 재무활동으로 구분하여 표시한다.

05 정부회계의 특징에 대한 설명으로 적절하지 않은 것은?

① 정부회계도 기업회계와 같이 수익과 비용의 차이인 재정운영의 결과가 클수록 운영성과가 좋다고 평가한다.
② 정부의 지출은 예산에 의해서 통제를 받는다.
③ 예산의 집행에 따른 기록이나 절차는 법령의 규정에 따라서 이루어진다.
④ 정부회계는 일반회계, 특별회계, 기금회계 등 다수의 회계실체가 존재한다.

해설 정답 ①

재정운영표는 기업회계의 손익계산서와 달리 순이익이 아닌 순원가산출구조이다.

06 「국가회계기준에 관한 규칙」에 대한 설명으로 옳지 않은 것은?

① 국세징수활동표는 재무제표의 내용을 보완하고 이해를 돕기 위하여 제공되는 내용으로 주석으로 제공한다.
② 유산자산의 종류, 수량 및 관리상태는 필수보충정보로 표시한다.
③ 금융리스는 리스료를 내재이자율로 할인한 가액과 리스자산의 공정가액 중 낮은 금액을 리스자산과 리스부채로 각각 계상하여 감가상각한다.
④ 장기연불조건의 거래에서 발생하는 채권·채무로서 명목가액과 현재가치의 차이가 중요한 경우에는 현재가치로 평가한다.

해설 정답 ①

국세징수활동표는 재무제표의 내용을 보완하고 이해를 돕기 위하여 제공되는 필수보충정보이다(「국가회계기준에 관한 규칙」 제54조 제2항 제5호).

07 「국가회계기준에 관한 규칙」에 따른 재정운영표의 재정운영순원가는?

• 프로그램총원가	₩ 350,000
• 프로그램수익	₩ 200,000
• 관리운영비	₩ 100,000
• 비배분비용	₩ 50,000
• 비배분수익	₩ 20,000
• 비교환수익	₩ 10,000

① ₩ 150,000
② ₩ 270,000
③ ₩ 280,000
④ ₩ 500,000

해설 정답 ③

Ⅰ. 프로그램순원가	₩ 150,000
프로그램총원가	350,000
프로그램수익	(200,000)
Ⅱ. 관리운영비	100,000
Ⅲ. 비배분비용	50,000
Ⅳ. 비배분수익	(20,000)
Ⅴ. 재정운영순원가	280,000
Ⅵ. 비교환수익 등	(10,000)
Ⅶ. 재정운영결과	₩ 270,000

08 「국가회계기준에 관한 규칙」의 수익 인식에 관한 설명으로 옳지 않은 것은?

① 정부가 부과하는 방식의 국세는 국가가 국세를 수납하는 때에 수익으로 인식한다.
② 원천징수하는 국세는 원천징수의무자가 원천징수한 금액을 신고, 납부하는 때에 수익으로 인식한다.
③ 신고 · 납부하는 방식의 국세는 납세의무자가 세액을 자진 신고하는 때에 인식한다
④ 기부금 수익은 청구권이 확정된 때에 그 확정된 금액을 수익으로 인식한다.

해설 정답 ①

정부가 부과하는 방식의 국세는 국가가 고지하는 때에 수익으로 인식한다.

09 다음 중 「국가회계기준에 관한 규칙」에 따른 재무제표에 대한 설명 중 올바른 것은?

① 재무제표는 「국가회계법」 제14조 제3호에 따라 재정상태표, 재정운영표, 순자산변동표로 구성하되, 재무제표에 대한 주석과 필수보충정보를 포함한다.
② 재무제표의 과목은 해당 항목의 중요성에 따라 별도의 과목으로 표시하거나 다른 과목으로 통합하여 표시할 수 있다.
③ 재무제표를 통합하여 작성할 경우 중앙 관서의 재정상태 및 재정운영에 관한 정보를 명확히 구분할 수 있도록 내부거래는 상계하지 않는다.
④ 비교하는 형식으로 작성되는 두 회계연도의 재무제표는 계속성의 원칙에 따라 작성하며, 「국가회계법」에 따른 적용범위, 회계정책 또는 규칙 등이 변경된 경우에는 그 내용을 필수보충정보로 공시한다.

해설 정답 ②

(선지분석)

① 재무제표는 「국가회계법」 제14조 제3호에 따라 재정상태표, 재정운영표, 순자산변동표로 구성하되, 재무제표에 대한 주석을 포함한다.
③ 재무제표를 통합하여 작성할 경우 내부거래는 상계하여 작성한다(「국가회계기준에 관한 규칙」 제6조 제1항 제4호).
④ 비교하는 형식으로 작성되는 두 회계연도의 재무제표는 계속성의 원칙에 따라 작성하며, 「국가회계법」에 따른 적용범위, 회계정책 또는 규칙 등이 변경된 경우에는 그 내용을 주석으로 공시한다(「국가회계기준에 관한 규칙」 제6조 제1항 제2호).

10 「국가회계기준에 관한 규칙」에 대한 설명으로 옳지 않은 것은?

① 재무제표는 재정상태표, 재정운영표, 순자산변동표로 구성하되 재무제표에 대한 주석을 포함한다.
② 현재 세대와 미래 세대를 위하여 정부가 영구히 보존하여야 할 자산으로서 역사적, 자연적, 문화적, 교육적 및 예술적으로 중요한 가치를 갖는 자산(유산자산)은 자산으로 인식하지 아니하고 그 종류와 현황 등을 필수보충정보로 공시한다.
③ 재정상태표에 표시하는 부채의 가액은 원칙적으로 만기상환가액으로 평가한다.
④ 사회기반시설 중 관리·유지 노력에 따라 취득 당시의 용역 잠재력을 그대로 유지할 수 있는 시설에 대해서는 감가상각하지 아니하고 관리·유지 노력에 투입되는 비용으로 감가상각비용을 대체할 수는 없다.

해설 정답 ④

사회기반시설 중 관리·유지 노력에 따라 취득 당시의 용역 잠재력을 그대로 유지할 수 있는 시설에 대해서는 감가상각하지 아니하고 관리·유지 노력에 투입되는 비용으로 감가상각비용을 대체할 수 있다(「국가회계기준에 관한 규칙」 제38조 제2항).

11 「국가회계기준에 관한 규칙」상 자산의 인식기준으로 옳지 않은 것은?

① 자산은 공용 또는 공공용으로 사용되는 등 공공서비스를 제공할 수 있거나 직접적 또는 간접적으로 경제적효익을 창출하거나 창출에 기여할 가능성이 매우 높아야 한다.
② 자산은 그 가액을 신뢰성 있게 측정할 수 있어야 한다.
③ 국가안보와 관련된 자산은 자산으로 인식할 수 없다.
④ 현재 세대와 미래 세대를 위하여 정부가 영구히 보존하여야 할 자산으로서 역사적, 자연적, 문화적, 교육적 및 예술적으로 중요한 가치를 갖는 유산자산은 재정상태표상 자산으로 인식하지 아니하고 그 종류와 현황 등을 필수보충정보로 공시한다.

해설 정답 ③

국가안보와 관련된 자산은 기획재정부장관과 협의하여 자산으로 인식하지 아니할 수 있다(「국가회계기준에 관한 규칙」 제10조 제3항).

12 「국가회계기준에 관한 규칙」상 자산과 부채의 평가에 대한 설명으로 옳지 않은 것은?

① 재고자산의 시가가 취득원가보다 낮은 경우에는 시가를 재정상태표 가액으로 하며, 생산과정에 투입될 원재료의 시가는 현행대체원가를 말한다.
② 재고자산은 제조원가 또는 매입가액에 부대비용을 더한 금액을 취득원가로 한다.
③ 재고자산은 실물흐름과 원가산정 방법 등에 비추어 선입선출법 이외의 방법을 적용하는 것이 보다 합리적이라고 인정되는 경우에는 후입선출법, 이동평균법 등을 적용하고 그 내용을 주석으로 표시한다.
④ 국가회계실체 사이에 발생하는 관리전환은 무상거래일 경우에는 자산의 장부가액을 취득원가로 하고, 유상거래일 경우에는 자산의 공정가액을 취득원가로 한다.

해설 정답 ③

재고자산은 실물흐름과 원가산정 방법 등에 비추어 선입선출법 이외의 방법을 적용하는 것이 보다 합리적이라고 인정되는 경우에는 개별법, 이동평균법 등을 적용하고 그 내용을 주석으로 표시한다.

13 「국가회계기준에 관한 규칙」에 대한 설명으로 옳지 않은 것은?

① 재무제표는 재정상태표, 재정운영표, 순자산변동표로 구성하되, 재무제표에 대한 주석을 포함한다.
② 재무제표는 해당 회계연도분과 직전 회계연도분을 비교하는 형식으로 작성한다.
③ 재무제표는 국가의 재정활동에 직접적 또는 간접적으로 이해관계를 갖는 정보이용자가 국가의 재정활동 내용을 파악하고, 합리적으로 의사결정을 할 수 있도록 유용한 정보를 제공하는 것을 목적으로 한다.
④ 재무제표를 통합하여 작성하더라도 내부거래는 상계하지 않는다.

해설 정답 ④

재무제표를 통합하여 작성할 경우 내부거래는 상계하여 작성한다(「국가회계기준에 관한 규칙」 제6조 제1항 제4호).

14 「국가회계기준에 관한 규칙」상 유가증권 평가에 대한 설명으로 옳지 않은 것은?

① 유가증권은 자산의 분류기준에 따라 단기투자증권과 장기투자증권으로 구분한다.
② 유가증권은 매입가액에 부대비용을 더하고 종목별로 총평균법 등을 적용하여 산정한 가액을 취득원가로 한다.
③ 채무증권, 지분증권 및 기타 장단기투자증권은 취득원가로 평가한다.
④ 유가증권의 회수가능액이 장부가액 미만으로 하락하고 그 하락이 장기간 계속되어 회복될 가능성이 없을 경우에는 장부가액과의 차액을 감액손실로 인식하고 재정운영순원가에 반영한다.

해설 정답 ③

채무증권은 상각후취득원가로 평가하고 지분증권과 기타 장기투자증권 및 기타 단기투자증권은 취득원가로 평가한다(「국가회계기준에 관한 규칙」 제33조 제3항).

15 「국가회계기준에 관한 규칙」에서 정한 재정상태표 요소의 구분과 표시에 대한 설명으로 옳지 않은 것은?

① 재정상태표는 자산, 부채, 순자산으로 구성되며, 자산 항목과 부채 또는 순자산 항목을 상계하지 않고 총액으로 표시한다.
② 자산은 유동자산, 투자자산, 일반유형자산, 유산자산, 무형자산 및 기타비유동자산으로 구분한다.
③ 부채는 유동부채, 장기차입부채, 장기충당부채 및 기타비유동부채로 구분한다.
④ 순자산은 기본순자산, 적립금 및 잉여금, 순자산조정으로 구분한다.

해설 정답 ②

자산은 유동자산, 투자자산, 일반유형자산, 사회기반시설, 무형자산 및 기타비유동자산으로 구분한다(「국가회계기준에 관한 규칙」 제9조 제2항).

16

「국가회계기준에 관한 규칙」에 따른 재무제표에 대한 설명으로 옳지 않은 것은?

① 재정운용표에는 프로그램(정책사업)별로 원가가 집계 · 표시된다.
② 재정상태표상 자산과 부채는 유동성배열법에 따라 표시된다.
③ 직접적인 반대급부가 없이 법령에 따라 납부의무가 발생한 금품의 수납은 재정운용표에 비교환수익으로 보고한다.
④ 재정상태표를 작성함에 있어서 자산에 대한 사용수익권은 무형자산 항목으로 표시된다.

해설 정답 ④

사용수익권은 자산의 차감항목으로 표시한다.

17

「국가회계기준에 관한 규칙」상 '수익과 비용'에 대한 설명으로 옳지 않은 것은?

① 부담금수익은 청구권 등이 확정된 때에 그 확정된 금액을 수익으로 인식한다.
② 몰수품이 화폐성 자산이어서 몰수한 때에 금액을 확정할 수 있는 경우에는 몰수한 때에 수익으로 인식한다.
③ 재화나 용역의 제공 등 국가재정활동 수행을 위하여 자산이 감소한 경우 금액을 합리적으로 측정할 수 없더라도 비용을 인식한다.
④ 과거에 자산으로 인식한 자산의 미래 경제적효익이 감소 또는 소멸하거나 자원의 지출 없이 부채가 발생 또는 증가한 것이 명백한 때에 비용으로 인식한다.

해설 정답 ③

비용은 금액을 합리적으로 측정할 수 있는 경우에 인식한다.

18

「국가회계기준에 관한 규칙」상 '부채의 분류 및 평가'에 대한 설명으로 옳지 않은 것은?

① 부채는 유동부채, 장기차입부채, 장기충당부채 및 기타비유동부채로 분류한다.
② 장기연불조건의 거래, 장기금전대차거래 또는 이와 유사한 거래에서 발생하는 채권 · 채무로서 명목가액과 현재가치의 차이가 중요한 경우에는 명목가액으로 평가한다.
③ 화폐성 외화부채는 재정상태표일 현재의 적절한 환율로 평가한다.
④ 재정상태표에 표시되는 부채의 가액은 「국가회계기준에 관한 규칙」에서 따로 정한 경우를 제외하고는 원칙적으로 만기상환가액으로 평가한다.

해설 정답 ②

장기연불조건의 거래, 장기금전대차거래 또는 이와 유사한 거래에서 발생하는 채권 · 채무로서 명목가액과 현재가치의 차이가 중요한 경우에는 현재가치로 평가한다(「국가회계기준에 관한 규칙」 제46조 제1항).

19 「국가회계기준에 관한 규칙」에 대한 설명으로 옳지 않은 것은?

① 재정상태표상 순자산은 자산에서 부채를 뺀 금액을 말하며, 기본순자산, 적립금 및 잉여금, 순자산조정으로 구분한다.
② 융자보조원가충당금은 융자사업에서 발생한 융자금 원금과 추정 회수가능액의 현재가치와의 차액으로 평가한다.
③ 유가증권의 회수가능가액이 장부가액 미만으로 하락하고 그 하락이 장기간 계속되어 회복될 가능성이 없을 경우에는 장부가액과의 차액을 감액손실로 인식하고 재정운영순원가에 반영한다.
④ 일반유형자산에 대해서는 재평가를 할 수 있으나 사회기반시설에 대해서는 재평가를 할 수 없다.

해설 정답 ④

사회기반시설에 대해서도 재평가를 수행할 수 있다.

20 「지방자치단체 회계기준에 관한 규칙」에 대한 설명으로 옳지 않은 것은?

① 비용은 자산의 감소나 부채의 증가를 초래하는 회계연도 동안의 거래로 생긴 순자산의 감소를 말하며, 회계 간의 재산 이관, 물품 소관의 전환 등으로 생긴 순자산의 감소도 비용에 포함된다.
② 문화재, 예술작품, 역사적 문건 및 자연자원은 자산으로 인식하지 아니하고 필수보충정보의 관리책임자산으로 보고한다.
③ 지방자치단체의 재무제표는 재정상태표, 재정운영표, 현금흐름표, 순자산변동표 및 주석으로 구성된다.
④ 순자산의 감소사항은 회계 간의 재산 이관, 물품 소관의 전환, 양여·기부 등으로 생긴 자산감소를 말한다.

해설 정답 ①

회계 간의 재산 이관, 물품 소관의 전환 등으로 생긴 순자산의 감소는 비용에 포함하지 않는다.

21 「지방자치단체 회계기준에 관한 규칙」에 대한 설명으로 옳지 않은 것은?

① 순자산은 특정순자산, 고정순자산, 일반순자산으로 분류되는데, 일반순자산은 고정순자산과 특정순자산을 제외한 나머지 금액을 의미한다.
② 지방세, 보조금 등의 비교환거래로 생긴 수익은 비록 금액을 합리적으로 측정할 수 있을 때 해당 수익에 대한 청구권이 발생한 시점에 수익으로 인식한다.
③ 일반유형자산과 주민편의시설 중 상각대상 자산에 대한 감가상각은 정률법을 원칙으로 한다.
④ 문화재, 예술작품, 역사적 문건 및 자연자원은 자산으로 인식하지 아니하고 필수보충정보의 관리책임자산으로 보고한다.

해설 정답 ③

일반유형자산과 주민편의시설 중 상각대상 자산에 대한 감가상각은 정액법을 원칙으로 한다.

22 「지방자치단체 회계기준에 관한 규칙」상 자산의 평가에 대한 설명으로 옳은 것은?

① 미수세금은 합리적이고 객관적인 기준에 따라 평가하여 대손충당금을 설정하고 이를 미수세금 금액에서 차감하는 형식으로 표시하며, 대손충당금의 내역은 주석으로 공시한다.
② 재고자산은 구입가액에 부대비용을 더하고 이에 총평균법을 적용하여 산정한 가액을 취득원가로 할 수 있으나, 그 내용을 주석으로 공시할 필요는 없다.
③ 도로, 도시철도, 하천부속시설 등 사회기반시설은 예외 없이 감가상각하여야 한다.
④ 장기투자증권은 매입가격에 부대비용을 더하고 이에 종목별로 총평균법을 적용하여 산정한 취득원가로 기록한 후, 매년 말 공정가치와 장부금액을 비교하여 평가손익을 인식한다.

해설 정답 ①

(선지분석)
② 재고자산에 선입선출법 외의 평가방법을 적용하는 경우에는 주석으로 공시한다.
③ 사회기반시설 중 유지보수를 통하여 현상이 유지되는 도로, 도시철도, 하천부속시설 등은 감가상각 대상에서 제외할 수 있으며, 유지보수에 투입되는 비용과 감가상각을 하지 아니한 이유를 주석으로 공시한다.
④ 장기투자증권은 매입가격에 부대비용을 더하고 이에 종목별로 총평균법을 적용하여 산정한 취득원가로 평가함을 원칙으로 한다.

23 「지방자치단체 회계기준에 관한 규칙」에 대한 설명 중 가장 옳지 않은 것은?

① 지방자치단체의 재무제표는 일반회계 · 기타특별회계 · 기금회계 및 지방공기업특별회계의 유형별 재무제표를 통합하여 작성한다.
② 현금흐름표는 회계연도 동안의 현금자원의 변동에 관한 정보로서 자금의 원천과 사용결과를 표시하는 재무제표로서 크게 경상활동과 투자활동으로 구성된다.
③ 재정운영표의 수익과 비용은 그 발생원천에 따라 명확하게 분류하여야 하며, 해당 항목의 중요성에 따라 별도의 과목으로 표시하거나 다른 과목과 통합하여 표시할 수 있다.
④ 재정상태표의 순자산은 지방자치단체의 기능과 용도를 기준으로 고정순자산, 특정순자산 및 일반순자산으로 분류한다.

해설 정답 ②

현금흐름표는 회계연도 동안의 현금자원의 변동에 관한 정보로서 자금의 원천과 사용결과를 표시하는 재무제표로서 경상활동, 투자활동 및 재무활동으로 구성된다.

03 지방자치단체 회계기준에 관한 규칙

제1장 총칙

제1조 목적

이 규칙은 지방자치단체의 회계처리 및 재무제표 보고의 통일성과 객관성을 확보함으로써 정보이용자에게 유용한 정보를 제공하고, 지방자치단체의 재정 투명성과 공공 책임성을 제고함을 목적으로 한다.

제2조 적용대상

① 이 규칙은 지방자치단체가 수행하는 모든 일반적인 거래의 회계처리와 재무제표 보고(이하 "재무보고"라 한다)에 대하여 적용한다.

② 실무회계처리에 관한 구체적인 사항은 행정안전부장관이 정한다.

③ 이 규칙으로 정하는 것과 제2항에 따라 행정안전부장관이 정한 것 외의 사항에 대해서는 일반적으로 인정되는 회계원칙과 일반적으로 공정하며 타당하다고 인정되는 회계관습에 따른다.

제3조 정의

이 규칙에서 사용하는 용어의 정의는 다음과 같다.

1. "경제적자원"이라 함은 지방자치단체의 행정활동에 직접 또는 간접적으로 투입하여 사용하거나 소비할 수 있는 경제적 가치를 지닌 모든 자원을 말한다.
2. "공정가액"이라 함은 합리적인 판단력과 거래의사가 있는 독립된 당사자간에 거래될 수 있는 교환가격을 말한다.
3. "내부거래"라 함은 재무제표를 작성하는 경우 상계되어야 하는 지방자치단체 내의 개별 회계실체간의 거래를 말한다.
4. "회계실체"란 재무제표를 작성하는 단위를 말하며, 다음 각 목과 같이 구분한다.
   가. 개별 회계실체: 「지방재정법」 제9조에 따른 일반회계 및 특별회계와 「지방자치단체 기금관리기본법」 제2조에 따른 기금으로서 재무제표를 작성하는 최소 단위를 말한다.
   나. 유형별 회계실체: 개별 회계실체를 그 성격이나 특성에 따라 유형별로 구분한 것으로서 그 유형은 제6조 제1항의 구분에 따른다.
   다. 통합 회계실체: 유형별 회계실체의 재무제표를 모두 통합하여 재무제표를 작성하는 단위로서 지방자치단체를 말한다.

제 4 조 재무보고의 목적

① 재무보고는 지방자치단체와 직간접적 이해관계가 있는 정보이용자가 재정활동내용을 파악하여 합리적인 의사결정을 하는 데에 유용한 정보를 제공하는 것을 목적으로 한다.

② 재무보고는 지방자치단체가 공공회계책임을 적절히 이행하였는가 여부를 평가하는 데에 필요한 다음 각 호의 정보를 제공하여야 한다.

1. 재정상태 · 재정운영성과 · 현금흐름 및 순자산 변동에 관한 정보
2. 당기(當期)의 수입이 당기(當期)의 서비스를 제공하기에 충분하였는지 또는 미래의 납세자가 과거에 제공된 서비스에 대한 부담을 지게 되는지에 대한 기간간 형평성에 관한 정보
3. 예산과 그 밖의 관련 법규의 준수에 관한 정보

제 5 조 일반원칙

지방자치단체의 회계처리와 재무보고는 **발생주의 · 복식부기 방식**에 의하며 다음 각 호의 일반원칙에 따라 이루어져야 한다.

1. 회계처리와 보고는 신뢰할 수 있도록 객관적인 자료와 증거에 의하여 공정하게 처리하여야 한다.
2. 재무제표의 양식 및 과목과 회계용어는 이해하기 쉽도록 간단명료하게 표시하여야 한다.
3. 중요한 회계방침과 회계처리기준 · 과목 및 금액에 관하여는 그 내용을 재무제표상에 충분히 표시하여야 한다.
4. 회계처리에 관한 기준과 추정은 기간별 비교가 가능하도록 기간마다 계속하여 적용하고 정당한 사유 없이 이를 변경하여서는 아니된다.
5. 회계처리를 하거나 재무제표를 작성할 때 과목과 금액은 그 중요성에 따라 실용적인 방법을 통하여 결정하여야 한다.
6. 회계처리는 거래의 사실과 경제적 실질을 반영할 수 있어야 한다.

제 6 조 유형별 회계실체의 구분 등

① 유형별 회계실체는 지방자치단체의 회계구분에 따라 일반회계, 기타특별회계, 기금회계 및 지방공기업특별회계로 구분한다.

② 회계실체는 그 활동의 성격에 따라 행정형 회계실체와 사업형 회계실체로 구분할 수 있다.

1. 행정형 회계실체는 지방자치단체의 일반적이고 고유한 행정활동을 수행하는 회계실체를 말한다.
2. 사업형 회계실체는 개별적 보상관계가 적용되는 기업적인 활동을 주된 목적으로 하는 회계실체를 말한다.

③ 지방공기업특별회계는 「지방공기업법」에서 따로 정한 경우 이 기준을 적용하지 아니한다.

제 2 장 재무제표

제 7 조 삭제

제 8 조 재무제표

국가회계기준에 관한 규칙 제5조 【재무제표와 부속서류】
① 재무제표는 「국가회계법」 제14조 제3호에 따라 **재정상태표, 재정운영표, 순자산변동표로 구성하되, 재무제표에 대한 주석**을 포함한다.

① 재무제표는 지방자치단체의 재정상황을 표시하는 중요한 요소로서 재정상태표, 재정운영표, 현금흐름표, 순자산변동표, 주석(註釋)**으로 구성**된다.
② 재무제표의 부속서류는 필수보충정보와 부속명세서로 한다.

제 9 조 재무제표의 작성원칙

국가회계기준에 관한 규칙 제6조 【재무제표의 작성원칙】
② 「국고금관리법 시행령」 제2장에 따른 **출납정리기한** 중에 발생하는 거래에 대한 회계처리는 해당 회계연도에 발생한 거래로 보아 다음 각 호와 같이 처리한다.

① **지방자치단체의 재무제표**는 일반회계 · 기타특별회계 · 기금회계 및 지방공기업특별회계의 유형별 재무제표를 통합하여 작성한다. 이 경우 **내부거래는 상계**하고 작성한다.
② **유형별 회계실체의 재무제표**를 작성할 때에는 해당 유형에 속한 개별 회계실체의 재무제표를 합산하여 작성한다. 이 경우 유형별 회계실체 안에서의 **내부거래는 상계**하고 작성한다.
③ 개별 회계실체의 재무제표를 작성할 때에는 지방자치단체 안의 다른 개별 회계실체와의 내부거래를 상계하지 아니한다. 이 경우 내부거래는 해당 지방자치단체에 속하지 아니한 다른 회계실체 등과의 거래와 동일한 방식으로 회계처리한다.
④ 재무제표는 당해 회계연도분과 직전 회계연도분을 비교하는 형식으로 작성되어야 한다. 이 경우 비교식으로 작성되는 양 회계연도의 재무제표는 계속성의 원칙에 따라 작성되어야 하며 회계정책과 회계추정의 변경이 발생한 경우에는 그 내용을 주석(註釋)으로 공시하여야 한다.
⑤ 「지방회계법」 제7조 제1항에 따른 **출납 폐쇄기한** 내의 세입금 수납과 세출금 지출은 해당 회계연도의 거래로 처리한다.

제 3 장 재정상태표

제 10 조 재정상태표

① 재정상태표는 특정 시점의 회계실체의 자산과 부채의 내역 및 상호관계 등 재정상태를 나타내는 재무제표로서 **자산 · 부채 및 순자산**으로 구성된다.

② 제9조 제1항에 따라 유형별 재무제표를 통합하여 작성하는 지방자치단체의 재무제표 중 재정상태표는 별지 제1호서식과 같다.

제 11 조 자산 · 부채 및 순자산의 정의

① 자산은 과거의 거래나 사건의 결과로 현재 회계실체가 소유(실질적으로 소유하는 경우를 포함한다) 또는 통제하고 있는 자원으로서 미래에 공공서비스를 제공할 수 있거나 직접적 또는 간접적으로 경제적효익을 창출하거나 창출에 기여할 가능성이 매우 높은 자원을 말한다.

② 부채는 과거 사건의 결과로 회계실체가 부담하는 의무로서 그 이행을 위하여 미래에 자원의 유출이 예상되는 현재 시점의 의무를 말한다.

③ 순자산은 회계실체의 자산에서 부채를 뺀 나머지 금액을 말한다.

제 12 조 자산과 부채의 인식기준

① 자산은 미래에 공공서비스를 제공할 수 있거나 직접적 또는 간접적으로 경제적효익을 창출하거나 창출에 기여할 가능성이 매우 높고 그 가액을 신뢰성 있게 측정할 수 있을 때에 인식한다.

② 문화재, 예술작품, 역사적 문건 및 자연자원은 자산으로 인식하지 아니하고 필수보충정보의 관리책임자산으로 보고한다.

③ 부채는 회계실체가 부담하는 현재의 의무를 이행하기 위하여 경제적효익이 유출될 것이 거의 확실하고 그 금액을 신뢰성 있게 측정할 수 있을 때에 인식한다.

국가회계기준에 관한 규칙

제10조【자산의 인식기준】

① 자산은 공용 또는 공공용으로 사용되는 등 공공서비스를 제공할 수 있거나 직접적 또는 간접적으로 경제적 효익을 창출하거나 창출에 기여할 가능성이 **매우 높고** 그 가액을 신뢰성 있게 측정할 수 있을 때에 인식한다.

② 현재 세대와 미래 세대를 위하여 정부가 영구히 보존하여야 할 자산으로서 역사적, 자연적, 문화적, 교육적 및 예술적으로 중요한 가치를 갖는 자산(이하 "**유산자산**"이라 한다)은 자산으로 인식하지 아니하고 그 종류와 현황 등을 필수보충정보로 공시한다.

제 13 조 재정상태표의 작성기준

① 자산과 부채는 유동성이 높은 항목부터 배열하는 것을 원칙으로 한다.

② 자산과 부채는 총액에 따라 적는 것을 원칙으로 하고, 자산의 항목과 부채 또는 순자산의 항목을 상계함으로써 그 전부 또는 일부를 재정상태표에서 제외하여서는 아니된다.

③ 가지급금이나 가수금 등의 미결산항목은 그 내용을 나타내는 적절한 과목으로 표시하고, 비망계정(어떤 경제활동의 발생을 기억하기 위해 기록하는 계정을 말한다)은 재정상태표의 자산 또는 부채항목으로 표시하지 아니한다.

제 14 조 자산의 분류

① **자산은** 유동자산, 투자자산, 일반유형자산, 주민편의시설, 사회기반시설, 기타비유동자산**으로 분류**한다.

② 삭제

국가회계기준에 관한 규칙

제9조【자산의 정의와 구분】

② **자산은 유동자산, 투자자산, 일반유형자산, 사회기반시설, 무형자산 및 기타 비유동자산으로 구분**하여 재정상태표에 표시한다.

제 15 조 유동자산

유동자산은 회계연도 종료 후 1년 내에 현금화가 가능하거나 실현될 것으로 예상되는 자산으로서 현금 및 현금성 자산, 단기금융상품, 미수세금, 미수세외수입금 등을 말한다.

제 16 조 투자자산

투자자산은 회계실체가 투자하거나 권리행사 등의 목적으로 보유하고 있는 비유동자산으로서 장기금융상품, 장기융자금, 장기투자증권 등을 말한다.

제 17 조 일반유형자산

일반유형자산은 **공공서비스의 제공을 위하여** 1년 이상 반복적 또는 계속적으로 사용되는 자산으로서 토지, 건물, 입목 등을 말한다.

제 18 조 주민편의시설

주민편의시설은 **주민의 편의를 위하여** 1년 이상 반복적 또는 계속적으로 사용되는 자산으로서 도서관, 주차장, 공원, 박물관 및 미술관 등을 말한다.

제 19 조 사회기반시설

사회기반시설은 초기에 대규모 투자가 필요하고 파급효과가 장기간에 걸쳐 나타나는 **지역사회의 기반적인 자산으로서 도로, 도시철도, 상수도시설, 수질정화시설, 하천부속시설 등**을 말한다.

제 20 조 기타비유동자산

기타비유동자산은 유동자산, 투자자산, 일반유형자산, 주민편의시설, 사회기반시설에 속하지 아니하는 자산으로서 보증금, 무형자산 등을 말한다.

제 21 조 부채의 분류

부채는 유동부채, 장기차입부채 및 기타비유동부채로 분류한다.

국가회계기준에 관한 규칙 제17조【부채의 정의와 구분】
② 부채는 **유동부채, 장기차입부채, 장기충당부채 및 기타 비유동부채**로 구분하여 재정상태표에 표시한다.

제 22 조 유동부채

유동부채는 회계연도 종료 후 1년 이내에 상환되어야 하는 부채로서 단기차입금, 유동성장기차입부채 등을 말한다.

제 23 조 장기차입부채

장기차입부채는 회계연도 종료 후 1년 이후에 만기가 되는 차입부채로서 장기차입금, 지방채증권 등을 말한다.

제 24 조 기타비유동부채

기타비유동부채는 유동부채와 장기차입부채에 속하지 아니하는 부채로서 퇴직급여충당부채, 장기예수보증금, 장기 선수수익(先受收益: 대가의 수익은 이루어졌으나 수익의 귀속시기가 차기 이후인 수익을 말한다) 등을 말한다.

제 25 조 순자산의 분류

① 순자산은 지방자치단체의 기능과 용도를 기준으로 고정순자산, 특정순자산 및 일반순자산으로 분류한다.

② 고정순자산은 일반유형자산, 주민편의시설, 사회기반시설 및 무형자산의 투자액에서 그 시설의 투자재원을 마련할 목적으로 조달한 장기차입금 및 지방채증권 등을 뺀 금액으로 한다.

③ 특정순자산은 채무상환 목적이나 적립성기금의 원금과 같이 그 사용목적이 특정되어 있는 재원과 관련된 순자산을 말한다.

④ 일반순자산은 고정순자산과 특정순자산을 제외한 나머지 금액을 말한다.

국가회계기준에 관한 규칙

제23조【순자산의 정의와 구분】 ① 순자산은 자산에서 부채를 뺀 금액을 말하며, **기본순자산, 적립금 및 잉여금, 순자산조정**으로 구분한다.

제 4 장 재정운영표

제 26 조 재정운영표

① 재정운영표는 회계연도 동안 회계실체가 수행한 사업의 원가와 회수된 원가 정보를 포함한 재정운영결과를 나타내는 재무제표를 말한다.

② 재정운영표는 다음 각 호와 같이 구분하여 표시한다.

1. **사업순원가**: 가목에 따른 총원가에서 나목에 따른 사업수익을 빼서 표시한다.
   가. 총원가: 사업을 수행하기 위하여 투입한 원가에서 다른 사업으로부터 배부받은 원가를 더하고, 다른 사업에 배부한 원가를 뺀 것
   나. 사업수익: 사업의 수행과정에서 발생하거나 사업과 관련하여 국가·지방자치단체 등으로부터 얻은 수익
2. **재정운영순원가**: 제1호에 따른 사업순원가에서 가목 및 나목의 비용은 더하고, 다목의 수익을 빼서 표시한다.
   가. 관리운영비: 조직의 일반적이고 기본적인 기능을 수행하는 데 필요한 인건비, 기본경비 및 운영경비
   나. 비배분비용: 임시적·비경상적으로 발생한 비용 및 사업과 직접적 또는 간접적 관련이 없어 제1호 가목에 따른 총원가에 배분하는 것이 합리적이지 아니한 비용
   다. 비배분수익: 임시적·비경상적으로 발생한 수익 및 사업과 직접적 관련이 없어 제1호 나목의 사업수익에 합산하는 것이 합리적이지 아니한 수익

3. **재정운영결과**: 제2호의 재정운영순원가에서 제30조에 따른 수익을 뺀 것

③ 제9조 제1항에 따라 유형별 재무제표를 통합하여 작성하는 지방자치단체의 재무제표 중 재정운영표는 별지 제2호 서식에 따른다.

④ 제3항에 따른 지방자치단체의 재정운영표에 제2항 제1호 가목에 따른 총원가와 같은 항 같은 호 나목에 따른 사업수익을 표시할 때 그 세부 항목은 「지방재정법 시행령」 제47조 제2항에 따른 과목의 구분에 따른다.

재정운영표 관련 지방자치단체 회계기준의 필수보충정보

① 지방자치단체의 성질별 재정운영표
② 일반회계의 재정운영표
③ 개별 회계실체(일반회계는 제외한다)의 재정운영표

	Ⅰ. 사업순원가	사업총원가 – 사업수익
	(1) 일반공공 행정	
	(2) 공공질서 및 안전	
(+)	Ⅱ. 관리운영비	조직의 일반적이고 기본적인 기능을 수행하는데 필요한 인건비, 기본경비 및 운영비
	(1) 인건비	
	(2) 경비	
(+)	Ⅲ. 비배분비용	임시적·비경상적으로 발생한 비용 및 사업과 직접적 또는 간접적 관련이 없어 총원가에 배분하는 것이 합리적이지 아니한 비용
	(1) 자산처분손실	
	(2) 기타비용	
(−)	Ⅳ. 비배분수익	임시적·비경상적으로 발생한 수익 및 사업과 직접적 관련이 없어 사업수익에 합산하는 것이 합리적이지 아니한 수익
	(1) 자산처분이익	
	(2) 기타이익	
(=)	Ⅴ. 재정운영순원가	
(−)	Ⅵ. 일반수익	사업수익이나 비배분수익에 속하지 않는 교환수익
	(1) 자체조달수익	지자체가 독자적인 과세권한과 징수활동을 통하여 조달한 수익
	(2) 정부간 이전수익	회계실체가 국가 또는 다른 지방자치단체로부터 이전받은 수익
	(3) 기타수익	자체조달수익 및 정부 간 이전수익 외의 수익
(=)	Ⅶ. 재정운영결과	

- **사업수익**: 재화판매수익, 용역제공수익, 연금수익, 보험수익 등
- 사업에 대응되는 원가 중 행정운영성 경비는 관리운영비, 그 외의 원가는 프로그램총원가로 분류
- **비배분비용 및 비배분수익**: 이자비용(수익), 평가손익, 자산처분이익 등

재정운영표(지방자치단체)

제 27 조 수익과 비용의 정의

① 수익은 자산의 증가 또는 부채의 감소를 초래하는 회계연도 동안의 거래로 생긴 순자산의 증가를 말한다. 다만, 「공유재산 및 물품 관리법」 제12조에 따른 회계 간의 재산 이관(이하 "회계 간의 재산 이관"이라 한다), 같은 법 제63조에 따른 물품 소관의 전환(이하 "물품 소관의 전환"이라 한다), 기부채납 등으로 생긴 순자산의 증가는 수익에 포함하지 아니한다.

② 비용은 자산의 감소나 부채의 증가를 초래하는 회계연도 동안의 거래로 생긴 순자산의 감소를 말한다. 다만, 회계 간의 재산 이관, 물품 소관의 전환 등으로 생긴 순자산의 감소는 비용에 포함하지 아니한다.

제 28 조 수익과 비용의 인식기준

① 수익은 다음과 같이 인식한다.

1. **교환거래로 생긴 수익**은 재화나 서비스 제공의 반대급부로 생긴 사용료, 수수료 등으로서 수익창출활동이 끝나고 그 금액을 합리적으로 측정할 수 있을 때에 인식한다.
2. **비교환거래로 생긴 수익**은 직접적인 반대급부 없이 생기는 지방세, 보조금, 기부금 등으로서 **해당수익에 대한** 청구권이 발생하고 그 금액을 합리적으로 측정할 수 있을 때에 인식한다.

② 비용은 다음과 같이 인식한다.

1. 교환거래에 따르는 비용은 반대급부로 발생하는 급여, 지급수수료, 임차료, 수선유지비 등으로서 대가를 지급하는 조건으로 민간부문이나 다른 공공부문으로부터 재화와 서비스의 제공이 끝나고 그 금액을 합리적으로 측정할 수 있을 때에 인식한다.
2. 비교환거래에 의한 비용은 직접적인 반대급부 없이 발생하는 보조금, 기부금 등으로서 가치의 이전에 대한 의무가 존재하고 그 금액을 합리적으로 측정할 수 있을 때에 인식한다.

제 29 조 재정운영표의 작성기준

① 재정운영표의 모든 수익과 비용은 발생주의 원칙에 따라 거래나 사실이 발생한 기간에 표시한다.

② 수익과 비용은 그 발생원천에 따라 명확하게 분류하여야 하며, 해당 항목의 중요성에 따라 별도의 과목으로 표시하거나 다른 과목과 통합하여 표시할 수 있다. 이 경우 해당 항목의 중요성은 금액과 질적 요소를 고려하여 판단하여야 한다.

제 29 조의2 원가계산

① 원가는 회계실체가 사업의 목표를 달성하고 성과를 창출하기 위하여 직접적 · 간접적으로 투입한 경제적 자원의 가치를 말한다.

② 원가의 계산에 관한 세부적인 사항은 행정안전부장관이 정하는 바에 따른다.

제 30 조 일반수익의 분류

수익은 재원조달의 원천에 따라 다음 각 호와 같이 구분한다.

1. 자체조달수익: 지방자치단체가 독자적인 과세 권한과 자체적인 징수활동을 통하여 조달한 수익
2. 정부간이전수익: 회계실체가 국가 또는 다른 지방자치단체로부터 이전받은 수익
3. 기타수익: 제1호 및 제2호에 따른 수익 외의 수익

제 31 조 삭제

제 32 조 삭제

제 33 조 삭제

제 34 조 삭제

제 5 장 현금흐름표

제 35 조 현금흐름표

① 현금흐름표는 회계연도 동안의 현금자원의 변동에 관한 정보로서 자금의 원천과 사용결과를 표시하는 재무제표로서 경상활동, 투자활동 및 재무활동으로 구성된다.

② 현금흐름표는 별지 제3호 서식과 같다.

제 36 조 현금흐름의 구분

① 경상활동은 지방자치단체의 행정서비스와 관련된 활동으로서 투자활동과 재무활동에 속하지 아니하는 거래를 말한다.

② 투자활동은 자금의 융자와 회수, 장기투자증권 · 일반유형자산 · 주민편의시설 · 사회기반시설 및 무형자산의 취득과 처분 등을 말한다.

③ 재무활동은 자금의 차입과 상환, 지방채의 발행과 상환 등을 말한다.

제 37 조 현금흐름표의 작성기준

① 현금흐름표는 회계연도 중의 순현금흐름에 회계연도 초의 현금을 더하여 회계연도 말 현재의 현금을 산출하는 형식으로 표시한다.

② 현금의 유입과 유출은 회계연도 중의 증가나 감소를 상계하지 아니하고 각각 총액으로 적는다. 다만, 거래가 잦아 총 금액이 크고 단기간에 만기가 도래하는 경우에는 순증감액으로 적을 수 있다.

③ 현물출자로 인한 유형자산 등의 취득, 유형자산의 교환 등 현금의 유입과 유출이 없는 거래 중 중요한 거래에 대하여는 주석(註釋)으로 공시한다.

제 6 장 순자산변동표

제 38 조 순자산변동표

① 순자산변동표는 회계연도 동안의 순자산의 증감 내역을 표시하는 재무제표로서 재정운영결과와 순자산의 변동을 기재한다.

② 제9조 제1항에 따라 유형별 재무제표를 통합하여 작성하는 지방자치단체의 재무제표 중 순자산변동표는 별지 제4호 서식과 같다.

제 39 조 순자산의 증가와 감소

① 순자산의 증가사항은 회계 간의 재산 이관, 물품 소관의 전환, 양여·기부 등으로 생긴 자산증가를 말한다.

② 순자산의 감소사항은 회계 간의 재산 이관, 물품 소관의 전환, 양여·기부 등으로 생긴 자산감소를 말한다.

제 7 장 주석

제 40 조 삭제

제 41 조 주석

① 주석(註釋)은 정보이용자에게 충분한 회계정보를 제공하기 위하여 채택한 중요한 회계정책, 회계과목의 세부내역 및 재무제표에 중대한 영향을 미치는 사항을 설명한 것을 말한다.

② 이 규칙에서 규정한 주석(註釋)사항 외에 필요한 경우에는 다음 각 호의 사항을 주석(註釋)으로 공시한다.

1. 지방자치단체 회계실체간의 주요 거래내용
2. 삭제
3. 타인을 위하여 제공하고 있는 담보보증의 내용
4. 천재지변, 중대한 사고, 파업, 화재 등에 관한 내용과 결과
5. 채무부담행위 및 보증채무부담행위의 종류와 구체적 내용
6. 무상사용허가권이 주어진 기부채납자산의 세부내용

7. 그 밖의 사항으로서 재무제표에 중대한 영향을 미치는 사항과 재무제표의 이해를 위하여 필요한 사항

③ 제1항 및 제2항에서 규정한 사항 외에 주석의 내용과 서식은 행정안전부장관이 정한다.

제 7 장의2 필수보충정보 및 부속명세서

제 42 조 필수보충정보

① 필수보충정보는 재무제표의 내용을 보완하고 이해를 돕기 위하여 필수적으로 제공 되어야 하는 정보를 말한다.

② 필수보충정보는 다음 각 호의 정보를 말한다.

1. 예산결산요약표
2. 별지 제5호 서식의 재정운영표(성질별)

2의2. 별지 제6호 서식의 재정운영표(일반회계)

2의3. 별지 제7호 서식의 재정운영표

3. 관리책임자산
4. 예산회계와 재무회계의 차이에 대한 명세서
5. 그 밖에 재무제표에는 반영되지 아니하였으나 중요하다고 판단되는 정보

③ 제2항의 예산결산요약표 및 예산회계와 재무회계의 차이에 대한 명세서는 예산결산이 완료된 후에 첨부할 수 있다.

제 43 조 부속명세서

부속명세서는 재무제표에 표시된 회계과목에 대한 세부내역을 명시할 필요가 있을 때에 제공되어야 하는 추가적인 정보를 말한다.

제 44 조 필수보충정보 및 부속명세서의 작성지침

제42조 및 제43조에 따른 필수보충정보 및 부속명세서의 내용과 서식은 행정안전부장관이 정한다.

제 8 장 자산 및 부채의 평가

제 45 조 자산의 평가기준

① 재정상태표에 기록하는 자산의 가액은 해당 자산의 취득원가를 **기초**로 하여 계상함을 원칙으로 한다. 다만, 다음 각 호의 자산의 가액은 해당 가액을 **취득원가**로 한다.

1. 교환, 기부채납, 그 밖에 무상으로 취득한 자산의 가액: 공정가액
2. 회계 간의 재산 이관이나 물품 소관의 전환으로 취득한 자산의 가액: 직전(直前) 회계실체의 장부가액

② 재정상태표에 기재하는 자산은 자산의 진부화, 물리적인 손상 및 시장가치의 급격한 하락 등의 원인으로 인하여 해당 자산의 회수가능가액이 장부가액에 미달하고 그 미달액이 중요한 경우에는 이를 장부가액에서 직접 차감하여 회수가능가액으로 조정하고 감액내역을 주석(註釋)으로 공시한다. 이 경우 회수가능가액은 해당 자산의 순 실현가능액과 사용가치 중 큰 금액으로 한다.

국가회계기준에 관한 규칙 제32조【자산의 평가기준】
① 재정상태표에 표시하는 자산의 가액은 해당 자산의 **취득원가를 기초**로 하여 계상(計上)한다. 다만, 무주부동산의 취득, 국가 외의 상대방과의 교환 또는 기부채납 등의 방법으로 자산을 취득한 경우에는 취득 당시의 **공정가액을 취득원가**로 한다.
② 국가회계실체 사이에 발생하는 **관리전환은 무상거래일 경우**에는 **자산의 장부가액**을 취득원가로 하고, **유상거래일 경우**에는 자산의 **공정가액**을 **취득원가**로 한다.

제 46 조 미수세금 등의 평가

① 미수세금은 합리적이고 객관적인 기준에 따라 평가하여 대손충당금을 설정하고 이를 미수세금 금액에서 차감하는 형식으로 표시하며, 대손충당금의 내역은 주석(註釋)으로 공시한다.

② 미수세외수입금, 단기대여금, 장기대여금 등에 관하여는 제1항의 규정을 준용한다.

제 47 조 재고자산의 평가

재고자산은 구입가액에 부대비용을 더하고 이에 선입선출법을 적용하여 산정한 가액을 취득원가로 한다. 다만, 실물흐름과 원가산정방법 등에 비추어 다른 방법을 적용하는 것이 보다 합리적이라고 인정되는 경우에는 개별법, 이동평균법 등을 적용하고 그 내용을 주석(註釋)으로 공시한다.

제 48 조 장기투자증권의 평가

장기투자증권은 매입가격에 부대비용을 더하고 이에 **종목별로** 총평균법을 적용하여 산정한 취득원가로 평가함을 원칙으로 한다.

국가회계기준에 관한 규칙 제33조【유가증권의 평가】
① 유가증권은 매입가액에 부대비용을 더하고 종목별로 **총평균법** 등을 적용하여 산정한 가액을 취득원가로 한다.
② 유가증권은 자산의 분류기준에 따라 **단기투자증권과 장기투자증권**으로 구분한다.
③ **채무증권은 상각후취득원가로 평가**하고 **지분증권과 기타 장기투자증권 및 기타 단기투자증권은 취득원가로 평가**한다. 다만, **투자목적의 장기투자증권 또는 단기투자증권인 경우**에는 재정상태표일 현재 신뢰성 있게 공정가액을 측정할 수 있으면 그 공정가액으로 평가하며, 장부가액과 **공정가액**의 차이금액은 순자산변동표에 조정항목으로 표시한다.

제 49 조 일반유형자산과 주민편의시설의 평가

① 일반유형자산과 주민편의시설은 당해 자산의 건설원가나 매입가액에 부대비용을 더한 취득원가로 평가함을 원칙으로 한다.

② 일반유형자산과 주민편의시설 중 상각대상 자산에 대한 감가상각은 정액법을 원칙으로 한다.

③ 일반유형자산과 주민편의시설에 대한 사용수익권은 해당 자산의 차감항목으로 표시한다.

국가회계기준에 관한 규칙
재평가모형에 대한 규정 있음

제 50 조 사회기반시설의 평가

① 사회기반시설의 평가에 관하여는 제49조의 규정을 준용한다.

② 사회기반시설 중 유지보수를 통하여 현상이 유지되는 도로, 도시철도, 하천 부속시설 등은 **감가상각 대상에서 제외할 수 있으며**, 유지보수에 투입되는 비용과 감가상각을 하지 아니한 이유를 주석(註釋)으로 공시한다.

③ 사회기반시설에 대한 **사용수익권**은 해당 자산의 차감항목으로 표시한다.

제 51 조 무형자산의 평가

① 무형자산은 당해 자산의 개발원가나 매입가액에 취득부대비용을 더한 가액을 취득원가로 한다.

② 무형자산은 정액법에 따라 당해 자산을 사용할 수 있는 시점부터 합리적인 기간동안 상각한다. 다만, 독점적 · 배타적인 권리를 부여하는 관계법령이나 계약에서 정한 경우를 제외하고는 20년**을 넘을 수 없다.**

제 52 조 자본적 지출과 경상적 지출

자산취득 이후의 지출 중 당해 자산의 내용연수를 연장시키거나 가치를 실질적으로 증가시키는 지출은 자본적 지출로 처리하고, 당해 자산을 원상회복시키거나 능률유지를 위한 지출은 경상적 지출로 처리한다.

제 53 조 부채의 평가기준

부채의 가액은 회계실체가 지급의무를 지는 채무액을 말하며, 채무액은 이 규칙에서 정하는 것을 제외하고는 만기상환가액**으로 함을 원칙**으로 한다.

제 54 조 지방채증권의 평가

① 지방채증권은 발행가액으로 평가하되, 발행가액은 지방채증권 발행수수료 및 발행과 관련하여 직접 발생한 비용을 뺀 후의 가액으로 한다.

② 지방채증권의 액면가액과 발행가액의 차이는 지방채할인 또는 할증 발행차금으로 하고, 할인 또는 할증발행차금은 증권 발행시부터 최종 상환시까지의 기간에 유효이자율 등으로 상각 또는 환입하고 그 상각액 또는 환입액은 지방채증권에 대한 이자비용에 더하거나 뺀다.

제 55 조 퇴직급여충당 부채의 평가

① 퇴직급여충당 부채는 회계연도말 현재 「공무원연금법」을 적용받는 지방공무원을 제외한 무기계약근로자 등이 일시에 퇴직할 경우 지방자치단체가 지급하여야 할 퇴직금에 상당한 금액으로 한다.

② 퇴직금 지급규정, 퇴직금 산정내역, 회계연도 중 실제로 지급한 퇴직금 등은 주석(註釋)으로 공시한다.

제 56 조 채권 · 채무의 현재가치에 따른 평가

① 장기연불조건의 매매거래, 장기금전대차거래 또는 이와 유사한 거래에서 발생하는 채권 · 채무로서 명목가액과 현재가치의 차이가 중요한 경우에는 이를 현재가치로 평가한다.

② 제1항의 현재가치는 당해 채권 · 채무로 인하여 받거나 지급할 총금액을 적절한 이자율로 할인한 가액으로 한다.

③ 제2항의 적절한 할인율은 당해 거래의 유효이자율을 적용한다. 다만, 당해 거래의 유효이자율을 확인하기 어려운 경우에는 유사한 조건의 국채수익률을 적용한다.

④ 제1항에 따라 발생하는 채권 · 채무의 명목가액과 현재가치의 차액은 현재가치 할인차금의 과목으로 하여 당해 채권 · 채무의 명목가액에서 빼는 방식으로 기록하고 적용한 할인율, 기간 및 회계처리방법 등은 주석(註釋)으로 공시한다.

제 57 조 외화자산과 외화부채의 평가

① 화폐성 외화자산과 화폐성 외화부채는 회계연도 종료일 현재의 적절한 환율로 평가한 가액을 재정상태표 가액으로 한다.

② 비화폐성 외화자산과 비화폐성 외화부채는 해당 자산을 취득하거나 해당 부채를 부담한 당시의 적절한 환율로 평가한 가액을 재정상태표 가액으로 함을 원칙으로 한다.

③ 화폐성 외화자산과 화폐성 외화부채는 외화예금, 외화융자금, 외화차입금 등과 같이 화폐가치의 변동과 상관없이 자산과 부채금액이 계약 및 기타의 원인에 의하여 일정액의 화폐액으로 고정되어 있는 경우의 당해 자산과 부채를 말한다.

제 58 조 리스에 따른 자산과 부채의 평가

① 리스는 지방자치단체가 일정기간 설비 등 특정 자산의 사용권을 리스회사로부터 이전받고, 그 대가로 사용료를 지급하는 계약을 말한다.

② 리스는 금융리스와 운용리스로 구분하며, 금융리스는 리스자산의 소유에 따른 위험과 효익이 실질적으로 리스이용자에게 이전되는 리스이고, 운용리스는 금융리스 외의 리스를 말한다.

③ 금융리스는 리스료를 내재이자율로 할인한 가액과 리스자산의 공정가액 중 낮은 금액을 리스자산과 리스부채로 각각 계상하여 감가상각하고, 운용리스는 리스료를 해당 회계연도의 비용으로 회계처리한다.

제 59 조 우발상황

① 우발상황은 미래에 어떤 사건이 발생하거나 발생하지 아니함으로 인하여 궁극적으로 확정될 손실 또는 이익으로서 발생 여부가 불확실한 현재의 상태 또는 상황을 말한다.

② 우발상황에는 진행 중인 소송사건, 채무에 대한 지급보증, 배상책임 등이 포함되며, 우발상황은 다음 각 호와 같이 처리한다.

1. 재정상태표 보고일 현재 우발손실의 발생이 확실하고 그 손실금액을 합리적으로 추정할 수 있는 경우: 우발손실을 재무제표에 반영하고 그 내용을 주석으로 표시
2. 재정상태표 보고일 현재 우발손실의 발생이 확실하지 아니하거나 우발손실의 발생은 확실하지만 그 손실금액을 합리적으로 추정할 수 없는 경우: 우발상황의 내용, 우발손실에 따른 재무적 영향을 주석으로 표시
3. 우발이익의 발생이 확실하고 그 이익금액을 합리적으로 추정할 수 있는 경우: 우발상황의 내용을 주석으로 표시

제 60 조 회계변경과 오류수정

① 회계정책과 회계추정의 변경(이하 "회계변경"이라 한다)은 그 변경으로 재무제표를 보다 적절히 표시할 수 있는 경우 또는 법령 등에서 새로운 회계기준을 채택하거나 기존의 회계기준을 폐지하여 변경이 불가피한 경우에 할 수 있으며, 그 유형에 따라 다음 각 호와 같이 처리한다.

1. 회계정책의 변경에 따른 영향은 비교표시되는 직전 회계연도의 기초순자산 및 그 밖의 대응금액을 새로운 회계정책이 처음부터 적용된 것처럼 조정한다. 다만, 회계정책의 변경에 따른 누적효과를 합리적으로 추정하기 어려운 경우에는 회계정책의 변경에 따른 영향을 해당 회계연도와 그 회계연도 후의 기간에 반영할 수 있다.
2. 회계추정의 변경에 따른 영향은 해당 회계연도 후의 기간에 미치는 것으로 한다.
3. 회계정책 또는 회계추정을 변경한 경우에는 그 변경내용, 변경사유 및 변경이 해당 회계연도의 재무제표에 미치는 영향을 주석으로 표시한다.

② 오류의 수정은 전년도 이전에 발생한 회계기준적용의 오류, 추정의 오류, 계정분류의 오류, 계산상의 오류, 사실의 누락 및 사실의 오용 등을 수정하는 것으로서 다음 각 호의 구분에 따라 처리한다.

1. 중대한 오류: 오류가 발생한 회계연도 재정상태표의 순자산에 반영하고, 관련된 계정잔액을 수정한다. 이 경우 비교재무제표를 작성할 때에는 중대한 오류의 영향을 받는 회계기간의 재무제표 항목을 다시 작성한다.
2. 제1호 외의 오류: 해당 회계연도의 재정운영표에 반영한다.

③ 회계변경과 오류수정의 회계처리에 대한 사항은 주석으로 표시하되, 제2항 제1호에 따른 중대한 오류를 수정한 경우에는 다음 각 호의 사항을 주석으로 포함한다.

1. 중대한 오류로 판단한 근거
2. 비교재무제표에 표시된 과거회계기간에 대한 수정금액
3. 비교재무제표가 다시 작성되었다는 사실

제 61 조 재정상태표 보고일 이후 발생한 사건

① 재정상태표 보고일 이후 발생한 사건의 회계처리에 대해서는 행정안전부장관이 정한다.

② 재정상태표 보고일 이후 발생한 사건은 회계연도의 말일인 재정상태표 보고일과 「지방회계법」 제7조 제3항에 따른 출납사무 완결기한 사이에 발생한 사건으로서 재정상태표 보고일 현재 존재하였던 상황에 대한 추가적 증거를 제공하는 사건을 말한다.

보론 「지방자치단체 회계기준에 관한 규칙」 개정사항(2021년)

1. 재무제표

지방자치단체 회계기준에 관한 규칙 [행정안전부령 제1호, 2017. 7. 26, 타법개정]	지방자치단체 회계기준에 관한 규칙 [행정안전부령 제231호, 2021. 1. 7, 일부개정]
제9조【재무제표의 작성원칙】 ① ~ ③ (생략) ④ 재무제표는 당해 회계연도분과 직전 회계연도분을 비교하는 형식으로 작성되어야 한다. 이 경우 비교식으로 작성되는 양 회계연도의 재무제표는 계속성의 원칙에 따라 작성되어야 하며 **회계정책상의 변화 등 회계변경**이 발생한 경우에는 그 내용을 주석(註釋)으로 공시하여야 한다.	제9조【재무제표의 작성원칙】 ① ~ ③ (현행과 같음) ④ 재무제표는 당해 회계연도분과 직전 회계연도분을 비교하는 형식으로 작성되어야 한다. 이 경우 비교식으로 작성되는 양 회계연도의 재무제표는 계속성의 원칙에 따라 작성되어야 하며 **회계정책과 회계추정의 변경**이 발생한 경우에는 그 내용을 주석(註釋)으로 공시하여야 한다.

2. 재정상태표

지방자치단체 회계기준에 관한 규칙 [행정안전부령 제1호, 2017. 7. 26, 타법개정]	지방자치단체 회계기준에 관한 규칙 [행정안전부령 제231호, 2021. 1. 7, 일부개정]
제11조【자산 · 부채 및 순자산의 정의】 ① 자산은 회계실체가 소유하고 이들 자산을 일정기간 보유하거나 사용함으로써 공공서비스 잠재력이나 경제적 효익을 창출할 수 있는 자원을 말한다.	제11조【자산 · 부채 및 순자산의 정의】 ① 자산은 과거의 거래나 사건의 결과로 현재 회계실체가 소유(실질적으로 소유하는 경우를 포함한다) 또는 통제하고 있는 자원으로서 미래에 공공서비스를 제공할 수 있거나 직접적 또는 간접적으로 경제적 효익을 창출하거나 창출에 기여할 가능성이 매우 높은 자원을 말한다.
제12조【자산과 부채의 인식기준】 ① 자산은 공공서비스의 잠재력을 창출하거나 미래의 경제적 효익이 회계실체에 유입될 것이 거의 확실하고 그 금액을 신뢰성 있게 측정할 수 있을 때에 인식한다.	제12조【자산과 부채의 인식기준】 ① 자산은 미래에 공공서비스를 제공할 수 있거나 직접적 또는 간접적으로 경제적 효익을 창출하거나 창출에 기여할 가능성이 매우 높고 그 가액을 신뢰성 있게 측정할 수 있을 때에 인식한다.

참고 | 국가회계기준에 관한 규칙

1. 자산의 정의

   자산은 과거의 거래나 사건의 결과로 현재 국가회계실체가 소유(실질적으로 소유하는 경우를 포함한다) 또는 통제하고 있는 자원으로서, 미래에 공공서비스를 제공할 수 있거나 직접 또는 간접적으로 경제적효익을 창출하거나 창출에 기여할 것으로 기대되는 자원을 말한다.

2. 자산의 인식기준

   자산은 공용 또는 공공용으로 사용되는 등 공공서비스를 제공할 수 있거나 직접적 또는 간접적으로 경제적효익을 창출하거나 창출에 기여할 가능성이 매우 높고 그 가액을 신뢰성 있게 측정할 수 있을 때에 인식한다.

3. 재정운영표

지방자치단체 회계기준에 관한 규칙 [행정안전부령 제1호, 2017. 7. 26, 타법개정]	지방자치단체 회계기준에 관한 규칙 [행정안전부령 제231호, 2021. 1. 7, 일부개정]
제26조 【재정운영표】 3. 재정운영결과: 제2호의 재정운영순원가에서 제30조에 따른 **일반수익**을 뺀 것	제26조 【재정운영표】 3. 재정운영결과: 제2호의 재정운영순원가에서 제30조에 따른 **수익**을 뺀 것
제27조 【수익과 비용의 정의】 ① 수익은 자산의 증가 또는 부채의 감소를 초래하는 회계연도 동안의 거래로 생긴 순자산의 증가를 말한다. **다만, 관리전환이나 기부채납 등으로 생긴 순자산의 증가는 수익에 포함하지 아니한다.** ② 비용은 자산의 감소나 부채의 증가를 초래하는 회계연도 동안의 거래로 생긴 순자산의 감소를 말한다. 다만, **관리전환** 등으로 생긴 순자산의 감소는 비용에 포함하지 아니한다.	제27조 【수익과 비용의 정의】 ① 수익은 자산의 증가 또는 부채의 감소를 초래하는 회계연도 동안의 거래로 생긴 순자산의 증가를 말한다. **다만, 「공유재산 및 물품 관리법」 제12조에 따른 회계 간의 재산 이관(이하 "회계 간의 재산 이관"이라 한다), 같은 법 제63조에 따른 물품 소관의 전환(이하 "물품 소관의 전환"이라 한다), 기부채납 등으로 생긴 순자산의 증가는 수익에 포함하지 아니한다.** ② 비용은 자산의 감소나 부채의 증가를 초래하는 회계연도 동안의 거래로 생긴 순자산의 감소를 말한다. 다만, **회계 간의 재산 이관, 물품 소관의 전환** 등으로 생긴 순자산의 감소는 비용에 포함하지 아니한다.

4. 순자산변동표

지방자치단체 회계기준에 관한 규칙 [행정안전부령 제1호, 2017. 7. 26, 타법개정]	지방자치단체 회계기준에 관한 규칙 [행정안전부령 제231호, 2021. 1. 7, 일부개정]
제38조 【순자산변동표】 ① (생략) ② 제9조 제1항에 따라 유형별 재무제표를 통합하여 작성하는 지방자치단체의 재무제표 중 **순자산변동보고서**는 별지 제4호 서식과 같다	제38조 【순자산변동표】 ① (현행과 같음) ② 제9조 제1항에 따라 유형별 재무제표를 통합하여 작성하는 지방자치단체의 재무제표 중 **순자산변동표**는 별지 제4호 서식과 같다
제39조 【순자산의 증가와 감소】 ① **순자산의 증가사항은 전기오류수정이익, 회계기준변경으로 생긴 누적이익 등을 말한다.** ② **순자산의 감소사항은 전기오류수정손실, 회계기준변경으로 생긴 누적손실 등을 말한다.**	제39조 【순자산의 증가와 감소】 ① **순자산의 증가사항은 회계 간의 재산 이관, 물품 소관의 전환, 양여·기부 등으로 생긴 자산증가를 말한다.** ② **순자산의 감소사항은 회계 간의 재산 이관, 물품 소관의 전환, 양여·기부 등으로 생긴 자산감소를 말한다.**

5. 자산 및 부채의 평가

지방자치단체 회계기준에 관한 규칙 [행정안전부령 제1호, 2017. 7. 26, 타법개정]	지방자치단체 회계기준에 관한 규칙 [행정안전부령 제231호, 2021. 1. 7, 일부개정]
제45조【자산의 평가기준】① 재정상태표에 기록하는 자산의 가액은 해당 자산의 취득원가를 기초로 하여 계상함을 원칙으로 한다. 다만, **교환, 기부채납, 관리전환, 그 밖에 무상으로 취득**한 자산의 가액은 **공정가액**을 취득원가로 한다. 〈신 설〉 〈신 설〉	제45조【자산의 평가기준】① 재정상태표에 기록하는 자산의 가액은 해당 자산의 취득원가를 기초로 하여 계상함을 원칙으로 한다. 다만, **다음 각 호**의 자산의 가액은 **해당 가액**을 취득원가로 한다. **1. 교환, 기부채납, 그 밖에 무상으로 취득한 자산의 가액: 공정가액** **2. 회계 간의 재산 이관이나 물품 소관의 전환으로 취득한 자산의 가액: 직전(直前) 회계실체의 장부가액**
제60조【회계변경과 오류수정】① 회계정책과 회계추정의 **변경은** 그 변경으로 재무제표를 보다 적절히 표시할 수 있는 경우 또는 법령 등에서 새로운 회계기준을 채택하거나 기존의 회계기준을 폐지하여 변경이 불가피한 경우에 할 수 있으며, 그 유형에 따라 다음 각 호와 같이 처리한다. **1. 회계정책의 변경에 따른 영향은 해당 회계연도 재정상태표의 순자산에 반영한다.** 다만, 회계정책의 변경에 따른 누적효과를 합리적으로 추정하기 어려운 경우에는 회계정책의 변경에 따른 영향을 해당 회계연도와 그 회계연도 후의 기간에 반영할 수 있다.	제60조【회계변경과 오류수정】① 회계정책과 회계추정의 변경(이하 "회계변경"이라 한다)은 그 변경으로 재무제표를 보다 적절히 표시할 수 있는 경우 또는 법령 등에서 새로운 회계기준을 채택하거나 기존의 회계기준을 폐지하여 변경이 불가피한 경우에 할 수 있으며, 그 유형에 따라 다음 각 호와 같이 처리한다. **1. 회계정책의 변경에 따른 영향은 비교표시되는 직전 회계연도의 기초순자산 및 그 밖의 대응금액을 새로운 회계정책이 처음부터 적용된 것처럼 조정한다.** 다만, 회계정책의 변경에 따른 누적효과를 합리적으로 추정하기 어려운 경우에는 회계정책의 변경에 따른 영향을 해당 회계연도와 그 회계연도 후의 기간에 반영할 수 있다.

참고 | 국가회계기준에 관한 규칙

1. 자산의 평가기준
   ① 재정상태표에 표시하는 자산의 가액은 해당 자산의 취득원가를 기초로 하여 계상한다. 다만, 무주부동산의 취득, 국가 외의 상대방과의 교환 또는 기부채납 등의 방법으로 자산을 취득한 경우에는 취득 당시의 공정가액을 취득원가로 한다.
   ② 국가회계실체 사이에 발생하는 관리전환은 무상거래일 경우에는 자산의 장부가액을 취득원가로 하고, 유상거래일 경우에는 자산의 공정가액을 취득원가로 한다.
2. 회계정책의 변경
   회계정책의 변경에 따른 영향은 비교표시되는 직전 회계연도의 순자산 기초금액 및 기타 대응금액을 새로운 회계정책이 처음부터 적용된 것처럼 조정한다. 다만, 회계정책의 변경에 따른 누적효과를 합리적으로 추정하기 어려운 경우에는 회계정책의 변경에 따른 영향을 해당 회계연도와 그 회계연도 후의 기간에 반영할 수 있다.

■ 지방자치단체 회계기준에 관한 규칙 [별지 제1호 서식]

재정상태표

해당연도 20XX년 X월 X일 현재
직전연도 20XX년 X월 X일 현재

지방자치단체명

(단위: 원)

과목	해당연도(20XX년)						직전연도(20XX년)					
	일반회계	기타특별회계	기금회계	지방공기업특별회계	내부거래	계	일반회계	기타특별회계	기금회계	지방공기업특별회계	내부거래	계
자산												
Ⅰ. 유동자산												
현금 및 현금성자산 단기금융상품 …												
Ⅱ. 투자자산												
장기금융상품 장기대여금 …												
Ⅲ. 일반유형자산												
토지 건물 건물감가상각누계액 …												
Ⅳ. 주민편의시설												
도서관 주차장 …												
Ⅴ. 사회기반시설												
도로 도시철도 …												
Ⅵ. 기타비유동자산												
보증금												
무형자산												
자산 총계												
부채												
Ⅰ. 유동부채												
단기차입금 유동성장기차입부채 …												
Ⅱ. 장기차입부채												
장기차입금 지방채증권												
…												
Ⅲ. 기타비유동부채												
퇴직급여충당부채												
…												
부채 총계												
순자산												
Ⅰ. 고정순자산 Ⅱ. 특정순자산 Ⅲ. 일반순자산												
순자산 총계												
부채와 순자산 총계												

■ 지방자치단체 회계기준에 관한 규칙 [별지 제2호 서식]

재정운영표

해당연도 20XX년 X월 X일부터 20XX년 X월 X일까지
직전연도 20XX년 X월 X일부터 20XX년 X월 X일까지

지방자치단체명 (단위: 원)

과목	해당연도(20XX년)					직전연도(20XX년)				
	총원가	사업수익	순원가	내부거래	계	총원가	사업수익	순원가	내부거래	계
Ⅰ. 사업순원가										
일반공공 행정 공공질서 및 안전 …										
Ⅱ. 관리운영비										
1. 인건비 급여 … 2. 경비 도서구입 및 인쇄비 …										
Ⅲ. 비배분비용										
자산처분손실 기타비용 …										
Ⅳ. 비배분수익										
자산처분이익 기타이익 …										
Ⅴ. 재정운영순원가(Ⅰ+Ⅱ+Ⅲ-Ⅳ)										
Ⅵ. 일반수익										
1. 자체조달수익 지방세수익 경상세외수익 … 2. 정부간이전수익 지방교부세수익 보조금수익 … 3. 기타수익 전입금수익 기타 재원조달 …										
Ⅶ. 재정운영결과(Ⅴ-Ⅵ)										

■ 지방자치단체 회계기준에 관한 규칙 [별지 제3호 서식]

현금흐름표

해당연도 20XX년 X월 X일부터 20XX년 X월 X일까지
직전연도 20XX년 X월 X일부터 20XX년 X월 X일까지

지방자치단체명 (단위: 원)

과목	해당연도(20XX년)						직전연도(20XX년)					
	일반회계	기타특별회계	기금회계	지방공기업특별회계	내부거래	계	일반회계	기타특별회계	기금회계	지방공기업특별회계	내부거래	계
Ⅰ. 경상활동으로 인한 현금 흐름												
1. 경상활동으로 인한 현금 유입액												
자체조달수익 정부간이전수익 …												
2. 경상활동으로 인한 현금 유출액												
인건비 운영비 정부간이전비용 민간등이전비용 …												
Ⅱ. 투자활동으로 인한 현금 흐름												
1. 투자활동으로 인한 현금 유입액												
대여금의 회수 장기투자증권의 처분 일반유형자산의 처분 …												
2. 투자활동으로 인한 현금 유출액												
대여금의 상환 장기투자증권의 취득 일반유형자산의 취득 …												
Ⅲ. 재무활동으로 인한 현금 흐름												
1. 재무활동으로 인한 현금 유입액												
차입금의 차입 지방채증권의 발행 …												
2. 재무활동으로 인한 현금 유출액												
차입금의 상환 지방채증권의 상환 …												
Ⅳ. 현금의 증가(감소)(Ⅰ+Ⅱ+Ⅲ)												
Ⅴ. 기초의 현금												
Ⅶ. 기말의 현금(Ⅳ+Ⅴ)												

■ 지방자치단체 회계기준에 관한 규칙 [별지 제4호서식] 〈개정 2021. 1. 7.〉

순자산변동표

해당연도 20XX년 X월 X일부터 20XX년 X월 X일까지
직전연도 20XX년 X월 X일부터 20XX년 X월 X일까지

지방자치단체명 (단위: 원)

과목	해당연도(20XX년)						직전연도(20XX년)					
	일반회계	기타특별회계	기금회계	지방공기업특별회계	내부거래	계	일반회계	기타특별회계	기금회계	지방공기업특별회계	내부거래	계
Ⅰ. 기초순자산												
보고금액 전기오류수정손익 회계변경 누적효과												
Ⅱ. 재정운영결과												
Ⅲ. 순자산의 증가												
회계 간의 재산 이관 및 물품 소관의 전환에 따른 자산증가 양여·기부로 생긴 자산증가 기타 순자산의 증가												
Ⅳ. 순자산의 감소												
회계 간의 재산 이관 및 물품 소관의 전환에 따른 자산감소 양여·기부로 생긴 자산감소 기타 순자산의 감소												
Ⅴ. 기말순자산(Ⅰ－Ⅱ＋Ⅲ－Ⅳ)												

210mm×297mm[일반용지 60g/m^2(재활용품)]

■ 지방자치단체 회계기준에 관한 규칙 [별지 제5호 서식]

재정운영표(성질별)

해당연도 20XX년 X월 X일부터 20XX년 X월 X일까지
직전연도 20XX년 X월 X일부터 20XX년 X월 X일까지

지방자치단체명 (단위: 원)

과목	해당연도(20XX년)						직전연도(20XX년)					
	일반 회계	기타 특별 회계	기금 회계	지방 공기업 특별 회계	내부 거래	계	일반 회계	기타 특별 회계	기금 회계	지방 공기업 특별 회계	내부 거래	계
Ⅰ. 인건비												
급여 복리후생비 …												
Ⅱ. 운영비												
소모품비 지급수수료 업무추진비 …												
Ⅲ. 정부간이전비용												
시도비보조금 조정교부금 …												
Ⅳ. 민간등이전비용												
민간보조금 출연금 …												
Ⅴ. 기타비용												
자산처분손실 자산감액손실 …												
Ⅵ. 비용총계												
Ⅶ. 자체조달수익												
지방세수익 경상세외수익 임시세외수익												
Ⅷ. 정부간이전수익												
지방교부세수익 보조금수익 …												
Ⅸ. 기타수익												
전입금수익 기부금수익 …												
Ⅹ. 수익총계												
XI. 재정운영결과(Ⅵ－Ⅹ)												

■ 지방자치단체 회계기준에 관한 규칙 [별지 제6호 서식]

재정운영표(일반회계)

해당연도 20XX년 X월 X일부터 20XX년 X월 X일까지
직전연도 20XX년 X월 X일부터 20XX년 X월 X일까지

지방자치단체명 (단위: 원)

과목	해당연도(20XX년)			직전연도(20XX년)		
	총원가	사업수익	순원가	총원가	사업수익	순원가
Ⅰ. 사업순원가						
일반공공 행정 일반행정 부서명 정책사업 … 공공질서 및 안전 …						
Ⅱ. 관리운영비						
1. 인건비 급여 … 2. 경비 도서구입 및 인쇄비 …						
Ⅲ. 비배분비용						
자산처분손실 기타비용 …						
Ⅳ. 비배분수익						
자산처분이익 기타이익 …						
Ⅴ. 재정운영순원가(Ⅰ + Ⅱ + Ⅲ − Ⅳ)						
Ⅵ. 일반수익						
1. 자체조달수익 지방세수익 경상세외수익 … 2. 정부간이전수익 지방교부세수익 보조금수익 … 3. 기타수익 전입금수익 …						
Ⅶ. 재정운영결과(Ⅴ − Ⅵ)						

■ 지방자치단체 회계기준에 관한 규칙 [별지 제7호 서식]

재정운영표(　　　회계)

해당연도 20XX년 X월 X일부터 20XX년 X월 X일까지
직전연도 20XX년 X월 X일부터 20XX년 X월 X일까지

지방자치단체명　　　　　　　　　　　　　　　　　　　　　　　　(단위: 원)

과목	해당연도(20XX년)			직전연도(20XX년)		
	총원가	사업수익	순원가	총원가	사업수익	순원가
Ⅰ. 사업순원가(○○ 기능)						
부서명 정책사업 단위사업 세부사업 …						
Ⅱ. 관리운영비						
1. 인건비 급여 … 2. 경비 도서구입 및 인쇄비 …						
Ⅲ. 비배분비용						
자산처분손실 기타비용 …						
Ⅳ. 비배분수익						
자산처분이익 기타이익 …						
Ⅴ. 재정운영순원가(Ⅰ + Ⅱ + Ⅲ − Ⅳ)						
Ⅵ. 일반수익						
1. 정부간이전수익 지방교부세수익 보조금수익 … 2. 기타수익 전입금수익 기타 재원조달 …						
Ⅶ. 재정운영결과(Ⅴ − Ⅵ)						

MEMO

2023 대비 최신개정판

해커스공무원 현진환 회계학

기본서 | 2권 원가관리회계·정부회계

개정 4판 1쇄 발행 2022년 7월 7일

지은이	현진환
펴낸곳	해커스패스
펴낸이	해커스공무원 출판팀
주소	서울특별시 강남구 강남대로 428 해커스공무원
고객센터	1588-4055
교재 관련 문의	gosi@hackerspass.com 해커스공무원 사이트(gosi.Hackers.com) 교재 Q&A 게시판 카카오톡 플러스 친구 [해커스공무원강남역], [해커스공무원노량진]
학원 강의 및 동영상강의	gosi.Hackers.com
ISBN	2권: 979-11-6880-468-5 (14320) 세트: 979-11-6880-466-1 (14320)
Serial Number	04-01-01